D1284815

Quelque chose de moi

Titre original : *Some of me* (Random House, New York)

© 1997, Isabella Rossellini
Publié en accord avec l'auteur, c/o Levine Thall Plotkin & Menin,
New York, NY, USA.

© 1999, NiL éditions, Paris, pour la traduction française

Isabella Rossellini

Quelque chose de moi

Traduit et adapté de l'américain par
Viviane Mikhalkov et Catherine Ianco

NiL
éditions

À mes fantômes

REMERCIEMENTS

Je tiens à exprimer ici toute ma gratitude à mon assistante Annie Armstrong, pour la patience dont elle a fait preuve en retapant à maintes reprises mon manuscrit, pour l'infaillible délicatesse avec laquelle elle a su corriger mes innombrables fautes d'orthographe sans jamais me faire rougir, et pour la suggestion qu'elle m'a faite et que j'ai partiellement adoptée : « Le premier tome pourrait s'appeler *Some of Me*, le second, *More of Me*, et le dernier, *All of Me*, celui-là rédigé sur votre lit de mort quand le mensonge n'aura plus lieu d'être. »

Mes remerciements vont aussi à mon éditeur Bob Gottlieb, qui a donné au projet une envergure qu'il n'aurait jamais acquise par lui-même. Sans son soutien, je n'aurais pas entrepris ce livre, malgré les encouragements de mes avocats Robert Levine et Loren Plotkin.

Je voudrais remercier ma famille et mes amis, mais aussi leur présenter mes excuses pour les avoir une nouvelle fois – et publiquement – placés dans la triste obligation de subir mes exagérations et mes mensonges. J'en profite pour demander leur indulgence à mes fantômes ainsi qu'à mes enfants qui devront comprendre que ce n'est pas bien de mentir et que je devrais cesser de le faire.

J'exprime ma gratitude à Oberto Gili, de même qu'à Bruce White, pour m'avoir offert temps et talent quand il s'est agi de photographier maison et objets. Et je remercie tous les photographes qui m'ont autorisée à reproduire le travail que nous avons fait ensemble, dont je tire si grande fierté : Eve Arnold, Richard Avedon, Arthur Elgort, Hans Feurer, Brigitte Lacombe, Annie Leibovitz, Alex Liberman, Peter Lingbergh, Steven Meisel, Sheila Metzner, Helmut Newton, Pierluigi Praturlon, Paolo Roversi, David (Chim) Seymour et Bruce Weber.

Je suis très reconnaissante à Fulvia Farolfi et à Didier Malige de toute l'aide qu'ils m'ont apportée.

Et, à Random House, je tiens à remercier Harry Evans, Ann Godoff, J.K. Lambert, Kathy Rosenbloom, Benjamin Dreyer et Andy Carpenter pour leurs conseils avisés tout au long de l'élaboration de ce livre.

AVANT-PROPOS

« Vous ne seriez pas la fille d'Ingrid Bergman ? »
« Votre père, Roberto Rossellini, était un véritable
génie ! »
« Je vous ai vue dans *Blue Velvet*. Quel film bouleversant ! »
« C'est vous qui posez pour Lancôme ? J'adore vos
pubs. »
« Vous êtes Isabella Rossellini ??!! Ma mère vous
adore ! » (Ou : « J'adore votre mère ! »)

Ces petites phrases, les inconnus qui m'abordent me les
servent régulièrement en guise d'entrée en matière. Elles
montrent comment je suis perçue, mais révèlent aussi bien
des choses sur mes interlocuteurs. Après les avoir dûment
étudiés, je les ai classés en cinq groupes distincts. Ceux qui
me définissent par rapport à Ingrid Bergman ont en principe
plus de soixante ans, sont issus de la classe moyenne ou
rêvent d'y accéder, tandis que ceux qui citent Roberto Rossellini sont des étudiants ou des intellectuels cinéphiles, le
plus souvent européens ou, en tout cas, amoureux de la
culture européenne. Des accros de *Blue Velvet*, je dirais qu'ils
ont en gros moins de trente-cinq ans, prônent des idées de
gauche et ont fait des études supérieures. Viennent ensuite
les femmes entre vingt-cinq et soixante ans pour qui je reste
le visage de Lancôme, même si j'ai dû céder la place à un
autre mannequin, et dont les plus âgées s'empressent en
général de m'avouer leur admiration pour ma mère. Celles
dont la mère m'adore, en revanche, sont de toutes jeunes
adolescentes qui n'ont pas vu *Blue Velvet* et étrennaient leur
première barboteuse quand j'incarnais l'esprit Lancôme.
Enfin, en annexe à ce tableau, j'ajouterai une catégorie à part
et extrêmement restreinte qui ne voit en moi ni la fille d'un

11

couple légendaire, ni celle qui fut la muse de David Lynch, ni même une star de la mode, mais tout simplement une maman : mes enfants, Elettra et Roberto.

Une fois passé le cap des présentations, je subis généralement un feu roulant de questions dont les réponses n'ont rien d'évident. Cela va de : « Qu'est-ce que ça fait d'avoir des parents célèbres ? » à : « Ces produits dont vous êtes l'ambassadrice, ça aide vraiment à rester jeune ? » en passant par : « Vous tombez souvent amoureuse de metteurs en scène, comme Martin Scorsese ou David Lynch... Vous ne feriez pas une fixation sur votre père ? » Voilà pour les plus fréquentes. Maintenant, passons aux autres.

« Comment séparez-vous vie privée et vie professionnelle ? » Là, ma réponse est toute prête : je ne les sépare pas. Je n'aime ni les cloisonnements, ni les discriminations. Tout se mêle, s'interpénètre. Je ne peux même pas séparer ma vie d'adulte de ma vie d'enfant, pire, séparer la vie de la mort. Ces deux aspects de l'existence n'en font qu'un pour moi, et il en va de même pour mes deux carrières professionnelles : je ne peux distinguer l'actrice du mannequin. À mes yeux, ce sont des métiers identiques.

« Qu'est-ce que la beauté ? Vous trouvez-vous belle ? » Je ne sais pas. Je suis gênée quand on aborde ce sujet et l'idée de répondre à côté me terrorise. Dire oui serait trop prétentieux, dire non, trop modeste après tout le battage fait autour de moi.

« Qu'est-ce que l'élégance ? Qu'est-ce que cela signifie pour vous ? » À vrai dire, je ne me pose pas la question. Mon style n'est pas prémédité, il reflète ce que je suis et la façon dont je vis. Si l'on me commandait un bouquin là-dessus, il tiendrait en quelques mots : Mettez ce qu'il vous plaira !

Mais revenons à ce livre-ci. Je vais commencer par évoquer mes parents, Ingrid Bergman et Roberto Rossellini. Je vais vous raconter tout de suite deux ou trois choses sur eux et le sujet sera classé. Étant donné la curiosité qu'ils suscitent, je sais que je dois leur accorder la priorité, sinon les gens ne m'écoutent que d'une oreille, en guettant le moment où ils surgiront dans la conversation. Cela dit, j'espère que les lecteurs ne s'attendent pas à des révélations fracassantes, parce qu'ils risquent d'être déçus. Qu'ils ne comptent pas non plus sur des confessions, ni même sur la vérité. Qu'ils sachent, une fois pour toutes, que j'ai la manie d'embellir les événements, au point de perdre de vue la réalité. Habitude que j'avais déjà dans l'enfance et qui obligeait ma grand-mère à m'interrompre sans arrêt : « *Verità o fantasia ?* » (« Tu dis la vérité ou tu affabules ? ») Alors, mettons cartes sur table : je suis une menteuse. Et même, une menteuse patentée.

Maman, papa, mon frère Roberto, ma jumelle Ingrid et moi.

MA FAMILLE

Comme je vous le disais, il y a une question qui vient toujours sur le tapis : « Qu'est-ce que ça fait d'avoir des parents célèbres ? » D'habitude, je rétorque que, n'ayant pas eu l'occasion d'être la fille de quelqu'un d'autre, je manque d'éléments de comparaison. Je devine que cette repartie doit laisser mes interlocuteurs sur leur faim, je vais donc développer un peu.

Mes parents, voyez-vous, sont des mythes. Cela signifie qu'ils ont une image très forte auprès du public. Bien sûr, c'est une projection, une vision toute subjective. Mes propres souvenirs ne concordent pas toujours avec ces fantasmes et les gens n'aiment pas ça. Certes, je pourrais leur servir les histoires qu'ils ont envie d'entendre et qu'ils connaissent par cœur. Je l'ai fait, rassurez-vous. Cela m'a acquis l'estime et la sympathie de bon nombre de personnes. J'en ai été ravie, car j'aime qu'on m'aime. Mais, à dire vrai, j'ai du mal à saisir ce que les autres ont dans la tête lorsqu'ils pensent à mes père et mère. Déjà, à l'école, la gloire de maman me semblait très mystérieuse et j'interrogeais sans cesse mes copines : « Tu crois que maman est aussi connue que Joan Crawford ? Et que Greta Garbo ? » J'avais besoin d'une sorte de baromètre pour mesurer sa célébrité.

Le même problème s'est posé pour ma fille. Pendant quatorze ans, ma photo a fait le tour du monde pour assurer la promotion des cosmétiques Lancôme. Quand Elettra est née, j'étais déjà dans les magazines, on me voyait à la télévision, mon image était placardée partout dans les rues. Un jour, au jardin d'enfants, la maîtresse a dit aux petits ce qu'ils devaient faire s'ils étaient perdus : avant tout, savoir leurs adresse et numéro de téléphone par cœur, ensuite trouver un policier, etc. Puis elle a interrogé ma fille. Elettra a déclaré : « À l'aéroport, je vais me mettre sous la photo de maman et

15

j'attends. » Elle était persuadée que les affiches étaient des portraits de mamans apposés tout exprès, dans les rues et les gares, à l'intention des enfants égarés.

Mon neveu Alessandro, lui, avait baptisé son nounours « Ingrid Bergman » bien que celui-ci fût censé être de sexe masculin. Ayant toujours entendu prononcer ce nom avec une sorte de respect mystique, il n'avait jamais fait le rapprochement avec la dame qu'il appelait grand-maman.

J'ai prénommé ma fille Elettra Ingrid parce que j'aimais mes parents. Ingrid est le nom de ma mère et Elettra, soit Électre en français, celui de ma grand-mère paternelle, la seule que j'aie connue.

« Quelle idée saugrenue ! m'a-t-on dit. Le complexe d'Électre – l'inverse du complexe d'Œdipe –, c'est l'amour excessif pour le père, la tendance à haïr la mère ! Dans la tragédie grecque, Électre pousse son frère Oreste à tuer leur mère Clytemnestre parce que celle-ci, aidée de son amant, a assassiné leur père Agamemnon. »

Eh bien, vous me croirez si vous voulez, je l'ignorais. C'est une coïncidence incroyable ou, si vous préférez, l'un de ces actes inconscients qui trahissent une vérité cachée. Je souffrais du complexe d'Électre et j'en souffre peut-être encore. Je vouais à mon père un amour excessif. Ce qui ne signifie pas pour autant que j'aie eu l'intention de supprimer ma mère. Je l'aimais. Mais il est vrai qu'enfant, j'étais, sans conteste, la petite fille à son papa.

Quand j'ai eu un fils, je l'ai baptisé Roberto et je lui ai donné comme second prénom Robin – rouge-gorge en anglais. Parce que j'aime les animaux, mais aussi parce que Robin sonne un peu comme Roberto et peut faire office de diminutif. Comme ça, je suis sûre que personne ne s'avisera d'appeler mon fils par un nom qui n'évoquera pas un tant soit peu son grand-père.

« Pauvre gosse ! s'est-on indigné. Roberto Rossellini, c'est comme s'appeler Alfred Hitchcock ! Trop lourd à porter ! Tout le monde se moquera de lui, tu sais comment sont les gens ! »

Les gens, les gens, les gens ! « Dis-leur d'aller se faire foutre ! me conseille mon ami Gary Oldman. Qui sont-ils, d'abord, hein ? Je te le demande ! » Suit une petite pause, comme s'il attendait ma réponse. Mais, à chaque fois, c'est lui qui me la souffle. « Tu leur dis : Merde ! C'est la plus courte prière au monde. Merde, merde et merde ! » Selon lui, ça devrait me guérir de mon éternel désir de plaire, qu'il juge déplorable.

Moi, la prière de Gary, je la connais depuis des années. Depuis mon mariage avec Martin Scorsese. Le matin, il n'avait pas ouvert un œil qu'il répétait déjà : « Merde, merde, merde, merde, merde ! » à toute allure. Et je lui demandais : « Qu'est-ce qui t'arrive ? Tout va bien, la journée n'a pas encore commencé, alors pourquoi tu jures ? » Mais il ne s'agissait pas de ça. Je l'ai compris plus tard, quand j'ai acquis un petit peu de sagesse. C'était comme un mantra qui aidait Martin à rassembler ses forces avant de quitter son lit pour affronter une nouvelle journée.

Et c'est armée de ces « Merde, merde, merde » que j'ai prénommé mes enfants. Mon seul guide, en l'occurrence, a été mon amour pour mes parents. Je n'ai pas voulu que leur célébrité me dicte mes choix. À mes yeux, Bergman et Rossellini ne sont pas des mythes, mais mon père et ma mère, et si j'avais une autre fille, je l'appellerais Ingrid, un point c'est tout. « Pourquoi ne leur donnes-tu pas simplement des noms que tu aimes ? » Pour un garçon, j'aime bien Rocco, ou Morgan, ou encore Sterling. Pour une fille, j'aime assez Maria, Francesca, Anjelica. Mais, bien aimer, c'est terriblement fugace. Ce que j'aime aujourd'hui, je peux ne plus l'aimer demain. Par conséquent, mieux vaut coller à notre tradition familiale qui veut que les enfants portent le nom de leurs grands-parents, surtout s'ils sont morts, car le souvenir est la seule chose qui nous reste d'eux.

Mes enfants n'ont, ni l'un ni l'autre, connu mes parents. Leur seul patrimoine est celui qu'ils partagent avec le public : *Casablanca*, *Rome, ville ouverte*, *Les Enchaînés*, des thèses sur les films de Bergman et de Rossellini, des biographies non autorisées, des photos dans les journaux, des cahiers dans des éditions spéciales, comme celui paru dans *Life* pour le cinquantenaire du magazine, ou ceux consacrés aux légendes d'Hollywood. Sans oublier l'histoire de leur passion immortalisée dans les multiples publications consacrées aux grandes amours de ce siècle – en raison du scandale qu'elle a suscité dans les années cinquante –, où ils voisinent avec Liz Taylor et Richard Burton, Wallis Simpson et Édouard VIII, ou encore avec le prince et la princesse de Galles. Aujourd'hui, Elettra et Roberto peuvent voir ma mère dans les bandes-annonces des soirées cinéma, à la télévision. Elle apparaît sur presque toutes les chaînes américaines. À la maison, quand nous entendons les musiques des génériques – reconnaissables à leurs mélodies amples et déchirantes –, nous arrêtons tout pour vérifier dans le journal si elle est au programme. Souvent, elle y est. Sinon, je fais une grimace à la télé, comme pour lui dire : « C'est toi qui y perds ! » Elettra et Roberto m'imitent depuis qu'ils ont appris à reconnaître leur grand-mère. Il faut dire qu'en noir et blanc, avec les coiffures et les éclairages sophistiqués, toutes les stars se ressemblent un peu.

Mes deux parents sont dans toutes les encyclopédies. J'ai vérifié, vous savez. Dans l'article se rapportant à mon père, il me suffit de voir que l'accent est mis sur son mariage avec ma mère pour deviner que j'ai entre les mains une édition américaine. Quand on y insiste sur l'aspect révolutionnaire et novateur de ses mises en scène, je sais que je lis une édition européenne. Dans les encyclopédies chinoises, ma mère est complètement passée sous silence ; quant au travail de mon père, il est décrit comme étant la manière non bourgeoise de dire la vérité sur le prolétariat. C'est la version communiste. Il y a bien des façons d'aimer mes parents et puis il y a la mienne, qui n'appartient qu'à moi.

TOUT ET RIEN SUR PAPA

Mon père était une vraie mère juive. Maintenant qu'il n'est plus là, je vous ferai un aveu : papa était gros. De son vivant, la diplomatie familiale exigeait que l'on dise « robuste ».

Quand nous étions petits – nous étions sept enfants –, l'un de nos jeux préférés consistait à nous jeter sur lui. Cou-

ché sur le côté, papa faisait la truie et nous, les petits cochons. Son plus grand regret était de n'avoir pu nous allaiter pour de vrai. Quant à moi, j'ai longtemps cru qu'il était enceint. Conclusion à laquelle j'étais arrivée suite aux explications confuses de ma baby-sitter sur la façon dont les enfants viennent au monde, conjuguées aux articles des journaux à scandale qui brodaient sur le divorce de mes parents et sur l'apparition d'enfants *extramatrimoniaux*. Le mot, dans mon esprit, se confondait avec extraterrestre, et j'imaginais que nous venions d'une autre planète et que c'était la raison pour laquelle la presse s'occupait tant de nous. Les articles faisaient état d'une mystérieuse femme exotique (probablement parce qu'elle était originaire de Calcutta). Il s'agissait de Sonali, comme je le compris plus tard, qui devint ma belle-mère.

Extramatrimonial évoquait les phénomènes surnaturels, et le ventre de papa, rond comme celui d'une femme à la veille d'accoucher, m'inspirait les suppositions les plus fantaisistes. Que mon père soit gros ou robuste m'importait peu. Il me plaisait comme il était et les gens qui lui conseillaient de faire un régime m'exaspéraient. Moi, je ne voulais rien perdre de son vaste corps si chaleureux. Mon amour inconditionnel chérissait le moindre de ses kilos.

Dans sa jeunesse, papa avait été coureur automobile pour Ferrari et conduire restait une des grandes passions de sa vie. Souvent, il nous embarquait tous dans sa voiture et nous partions à la découverte des petits villages d'Italie. Il pilotait à toute allure, klaxonnant sans interruption, tout en sifflant des airs napolitains et en nous racontant des histoires ahurissantes qui enflammaient mon imagination. Je me rappelle ses mains, couvertes de taches brunes, serrées sur le volant, comme celles d'un champion. Je les trouvais très belles. Des années plus tard, quand des taches brunes sont apparues sur les miennes, je suis allée les exhiber à un directeur artistique, toute fière d'avoir quelque chose de nouveau à présenter à l'objectif. Il a été horrifié.

Le dimanche, à déjeuner, quand toute la famille était à table, mon frère Gil nous passait des vroom-vroom de voitures de course enregistrés lors de ses fréquentes visites au circuit Ferrari de Maranello. Mon père adorait ce vacarme. Moi, pas du tout. Du coup, pour marquer ma réprobation, j'ai laissé passer l'âge du permis. J'ai raté le coche à dix-huit ans et je ne l'ai jamais rattrapé. Aujourd'hui, je ne sais toujours pas conduire.

C'est mon frère Roberto qui a convaincu papa d'abandonner la course automobile. En lui donnant une claque. Il n'avait pas plus de trois ans à l'époque, mais il n'a pas hésité à prendre le taureau par les cornes. Parce qu'il avait vu la terreur dans le regard de maman pendant qu'elle attendait le retour de papa.

L'image la plus forte que je garde est celle de papa au lit. Il adorait rester au lit, il pouvait y traînasser des journées entières. Pour ne pas gaspiller son énergie. Certains appelleront cela de la paresse, moi, je voyais dans cette nonchalance physique une forme de sagesse et de raffinement intellectuel. Et lorsque quelqu'un me semble de toute évidence paresseux, ma première réaction est toujours d'écouter attentivement ce qu'il a à me dire, dans l'espoir d'y dénicher une vérité profonde. Aujourd'hui, j'aime les corps modelés par la vie plutôt que par le body-building. Je ne pourrai jamais désirer un homme athlétique, aux muscles saillants.

Au lit, mon père lisait beaucoup. Livres, magazines et papiers de toutes sortes s'amoncelaient sur les couvertures. Et il parlait au téléphone. Il recevait des collaborateurs, des étudiants, voire des producteurs. Bref, il faisait tout à partir de son lit. Il avait même installé une table de montage à côté.

TOUT ET RIEN SUR MAMAN

À l'inverse, ma mère était d'une énergie débordante. Elle marchait au pas de course. Quand elle ne tournait pas et ne jouait pas au théâtre, elle astiquait la maison ou réorganisait tout de fond en comble. Mais sa passion était quand même la comédie. Quand on lui demandait : « Qu'est-ce qui compte le plus pour vous dans la vie ? », elle rougissait et, mal à l'aise, finissait toujours par avouer : « Mon métier », incapable d'inventer un mensonge diplomatique ou de noyer le poisson, même si je sais que, par égard pour ses enfants, elle aurait préféré répondre : « Ma famille. » Il m'a fallu du temps et une copieuse dose de bonne volonté pour ne plus souffrir de ne pas tenir la première place dans son existence. Je la revois me disant un jour, au théâtre, dans sa loge : « Si, pour

une raison ou une autre, je ne peux plus monter sur scène, je trouverai bien quelque chose à faire ici. N'importe quoi. Tiens, je serai habilleuse !» C'est la seule et unique fois où je l'ai entendue mentionner une telle éventualité. Fort heureusement, son succès ne faiblit jamais, mais le fait qu'elle ait songé à ce métier-là comme solution de rechange montre combien les planches lui étaient indispensables.

«Je veux mourir comme un cow-boy : fauchée par une balle, droite sur ma selle, droite dans mes bottes», disait-elle souvent. Ce qui, pour elle, signifiait : travailler jusqu'à son dernier souffle. Elle craignait par-dessus tout de tomber malade ou de perdre son énergie, car cela aurait signifié renoncer à jouer. Selon elle, la qualité première d'un comédien était la santé. De même, lorsqu'on l'interrogeait sur le bonheur et le moyen d'y parvenir, elle répondait par une maxime volée à Claudette Colbert : «L'essentiel, pour être heureux, c'est d'être en bonne santé et d'avoir la mémoire courte.» Quand elle fit enfin la connaissance de Claudette, elle lui présenta aussitôt ses excuses pour l'emprunt. À quoi celle-ci répondit qu'elle-même avait volé la formule à George Bernard Shaw ou à Virginia Woolf, je ne sais plus très bien. En tout cas, à quelqu'un de cette envergure. Vous voyez, c'est ça mon problème, je me rappelle les choses, mais jamais avec précision. À considérer que maman ait eu raison, cela devrait me rendre assez douée pour le bonheur. En revanche, quand il s'agit de relater mes souvenirs, ce manque de mémoire me complique considérablement la vie. Pour y remédier, je fais appel à mon imagination et je bouche les trous avec des détails fantaisistes. Et c'est ainsi que je me retrouve à dire des mensonges, comme je l'ai déjà avoué plus haut.

Dans la liste des amours de maman, faire le ménage tenait la deuxième place. Cela ne veut pas dire qu'elle préférait cette occupation à sa propre fille, je suis même certaine du contraire, mais elle s'ingéniait toujours à combiner ses deux passions. Ce qui l'amenait à faire le ménage en ma compagnie.

«Ne quitte jamais une pièce les mains vides», me répétait-elle, sous-entendant qu'il y a toujours un verre à rapporter à la cuisine ou un journal qui traîne dans une chambre

Ma mère, ma jumelle Ingrid et moi.

alors qu'il devrait se trouver au salon. Principe éducatif qui a fait de moi une personne ordonnée et une parfaite femme d'intérieur.

Mon point fort, c'était *la vaisselle*. Nous utilisions toujours le mot français, que nous préférions au mot composé anglais *dish-washing* et à l'expression italienne *lavare i piatti*. L'usage du lave-vaisselle s'étant généralisé, ce talent m'est de peu d'utilité aujourd'hui. Cependant, permettez-moi de vous donner un aperçu de la méthode que ma mère m'a transmise après l'avoir élevée au rang de science.

Imaginez que vous avez donné une soirée chez vous et que les invités sont partis. Que faites-vous ? En premier lieu, vous vous débarrassez de tout ce qui sent mauvais – cendriers, fonds de bouteilles, restes de nourriture – de manière à créer un environnement agréable, sans quoi les mauvaises odeurs auront tôt fait de vous chasser de la pièce. Donc, en premier lieu, se ménager des conditions optimales de travail. Deuxièmement, organiser la vaisselle en mettant de côté les verres, qu'on lavera en dernier, une fois que tout le reste sera propre, car il faut de la place pour les laisser sécher, étant entendu qu'on ne les essuiera pas. On les rincera seulement à l'eau brûlante et on les posera, tête en bas. Vous verrez comme ils brillent, alors, parce que l'eau chaude s'évapore très vite et sans laisser de trace. Pour l'instant, attaquez-vous aux plats de cuisson et aux poêles. L'idéal, bien sûr, aurait été de les laver aussitôt utilisés, au lieu de les laisser attendre jusqu'à la fin de la soirée. Pour le reste, observez l'ordre suivant : les assiettes en premier, ensuite les couverts et, en dernier, les plats de service. Il est impératif d'avoir à sa disposition deux éviers, ou encore un évier et une bassine, car lavage et rinçage se font séparément. Surtout, évitez de combiner les deux, comme tant de gens s'acharnent à le faire. C'est une manie déplorable, l'une des habitudes qui énervait le plus maman, comme toutes les âneries qui, Dieu sait pourquoi, se transmettent de génération en génération. Pour laver, je conseille les brosses à manche droit, rondes au bout, ce sont les plus efficaces. Je me procure les miennes en Suède, comme maman. Les brosses suédoises sont tout simplement idéales. Une petite rotation du poignet et les verres sont propres !

À peine mon beau-père Lars avait-il acheté le Théâtre Montparnasse, à Paris, que ma mère courut y faire le ménage. « La malheureuse ! me dit-elle en parlant de la dame chargée de l'entretien, comment veux-tu qu'elle s'en sorte avec des chiffons crasseux et un balai effiloché ! J'ai demandé à Lars de veiller à ce qu'elle ait bien tout ce qu'il lui fallait. Que peut-on faire avec un chiffon sale ou une éponge graisseuse, si ce n'est repousser la saleté dans les coins, un peu à droite, un peu à gauche ? »

J'ai retenu la leçon. Aujourd'hui, je suis toujours à l'affût des meilleures éponges, du meilleur aspirateur, des meilleures serpillières. Chaque fois que je reviens d'Italie, je rapporte dans mes bagages une tapette en osier. Regardez le dessin. On n'a rien inventé de mieux pour battre les tapis.

Quand le temps le permet, je bats tapis et coussins à la fenêtre. C'est insensé, le nuage de poussière qui s'en échappe. On n'en retirerait jamais autant à l'aspirateur. Les aspirateurs ne font que nettoyer superficiellement. Et puis, voir voler toute cette saleté procure une immense satisfaction.

Comme maman, j'adore faire le ménage. J'y trouve plaisir et réconfort et c'est peut-être pour cela que j'y consacre, comme elle, une bonne partie de mon temps. Mais attention, il ne faut pas que ça tourne à l'obsession. Ma mère était devenue tellement accro qu'elle ne pouvait plus lâcher son balai. Le médecin qu'elle finit par aller consulter décréta que son acharnement s'expliquait par une allergie à la poussière qui la poussait à s'en débarrasser coûte que coûte. Mais ce n'était pas la bonne explication. En fait, ce qu'elle recherchait dans l'astiquage et dans le récurage, c'était une euphorie assez semblable à celle que procure la drogue. J'en sais quelque chose, je suis toujours en train de traquer la poussière dans les endroits les plus invraisemblables et, quand j'ai la chance d'en découvrir un peu, je ne pense plus qu'à ça. Le monde peut s'écrouler, il faut que je l'élimine. La poussière réveille en moi un instinct de chasseur et je tiens cela de maman. Ma mère était quelqu'un d'extraordinairement pratique. Je le suis tout autant. Ce point commun nous rapprochait. Comme maman, je considère qu'avoir l'esprit pratique est une immense qualité. Elle la plaçait au même niveau que l'intelligence et la préférait à l'érudition, qui l'intimidait souvent, tout comme moi. Cependant, c'est l'humour qu'elle appréciait par-dessus tout et, là encore, je partage entièrement son avis.

Guidée par son réalisme et son sens pratique, ma mère me poussait à apprendre l'anglais et la dactylographie. « Si tu maîtrises bien les deux, tu trouveras toujours du travail », me rabâchait-elle. À force de m'entendre dire que ces deux disciplines étaient des panacées, je n'ai appris l'une et l'autre qu'assez tard, une fois ma rébellion calmée. Résultat de mon obstination imbécile, je parle anglais avec un accent. Il paraît que c'est lié au cerveau, au développement des synapses ou Dieu sait quoi encore, et qu'après l'âge de treize ou quatorze ans, même si l'on est capable d'assimiler une langue étrangère, on ne se débarrassera jamais totalement de son accent. Je vous laisse imaginer le handicap, surtout pour une actrice. Que j'ai été bête ! Pour ce qui est de taper à la machine, je ne suis pas plus experte, et quand je vois les problèmes que j'ai eus avec l'anglais, je me promets toujours de me remettre sérieusement aux exercices de dactylographie. En fait, tous les premiers de l'an, j'inscris cette résolution sur ma liste. Sauf qu'aujourd'hui, c'est l'ordinateur que je me jure d'apprivoiser. Si ma mère était encore de ce monde, je suis convaincue qu'en femme qui marche avec son temps, elle me recommanderait l'informatique comme ultime solution à mes problèmes existentiels.

Maman n'était pas cynique, loin de là, mais elle donnait parfois l'impression de l'être, car le sens pratique poussé au paroxysme peut ressembler au cynisme, si l'on n'y prend pas garde. Je vous donne un exemple. Avant de mourir, ma mère avait tout organisé. Elle nous laissait trois robes dans des housses de plastique, chacune avec un papier épinglé au col. Trois petits mots destinés à ses enfants, sa postérité, parce que, malgré sa modestie, elle avait conscience de son importance. Et ces notes indiquaient avec une sèche précision : « premier mariage », « deuxième mariage », « troisième mariage ». Les deux fenêtres de son salon avaient été investies avec le même radicalisme. Trouvant leurs rebords idéaux pour exposer les photos de ses amis, maman conservait sur l'un les portraits des vivants, sur l'autre ceux des défunts. À peine apprenait-elle la mort de quelqu'un qu'elle changeait sa photo de fenêtre. C'était parfait, sauf que, les années passant, les nouvelles rencontres ne furent plus en mesure de compenser la disparition des vieux amis et ces fenêtres, si méticuleusement ordonnées, offrirent un spectacle des plus déprimants. Cela se passait aux environs de Paris, dans la maison où elle habitait avec Lars, son dernier mari. Mon père, lui, vivait à côté de Rome avec Sonali et leurs enfants, Gil et Raffaella. Quant aux trois enfants du couple Bergman-Rossellini – Roberto, Ingrid et moi-même (vous remarquerez que ma jumelle et moi avons la même initiale que maman) –, nous ne vivions ni avec notre père ni avec notre mère, mais avec Argenide, notre bonne, et son fils Orlando, sous la garde d'une kyrielle de nurses dénichées dans toutes les agences de placement du monde. Mais de toutes ces *nannies* anglaises, suisses ou allemandes, aucune ne resta plus de quelques mois avec nous. « L'appartement des enfants », comme on disait, avait été conçu pour répondre à des besoins d'enfants. Guidée par son esprit pratique, maman avait banni des lieux tout mobilier destiné aux adultes. Entraient dans cette catégorie : antiquités, cristal, argenterie, canapés et tapis. Le salon, par exemple, comportait en tout et pour tout une barre le long du mur pour les exercices de danse, un punching-ball et une table de ping-pong. Toujours par souci pratique, maman, faisant fi des critères esthétiques, n'avait pas hésité à amputer les rideaux de moitié pour les mettre hors d'atteinte des chiens venus s'y soulager. Le mien, qui s'appelait Nando, s'obstinait à pisser dans toute la maison. C'était un mâle, voyez-vous, il fallait bien qu'il marque son territoire.

Aussi affreux fussent-ils, ces rideaux devinrent pour moi le comble de l'élégance : ils avaient une raison d'être. Ma conception du style me vient incontestablement de maman. De son originalité et non de son côté bon chic bon genre que tant de gens admirent. À mon avis, un esprit indépendant est la marque de la véritable élégance. Ma mère, avec son sens pratique, m'a enseigné que tout ce qui est inutile est futile. Et j'en suis à ce point convaincue que je ne saurais porter un vêtement avec une fausse poche ou un bouton cousu pour faire joli.

MES OBJETS

Les objets qui sont chez moi ont tous une histoire, ils ne sont pas là seulement pour décorer. Mon petit marché napolitain en bois sculpté ranime ma nostalgie de cette ville que j'aime et où je vais trop rarement. Les pierres autour de mon lavabo proviennent d'endroits qui sont pour moi symboliques. L'une a été trouvée à Dannholmen, la petite île de Suède où ma mère passait tous ses étés et où elle  a voulu que ses cendres soient dispersées. Une autre, toute noire, vient du Stromboli où mes parents sont tombés amoureux et ont tourné le film du même nom. Et puis il y a celle que j'appelle le petit Saint-Pierre de Rome, qui me fait penser à la ville où je suis née et à 1968, lorsque nous en jetions de semblables contre les forces de l'ordre. Ensuite, il y a les

pierres ramassées sur la plage de Santa Marinella où nous passions nos vacances. Zia Marcella s'en servait comme porte-savon. Les pierres du Gange, enfin, me rappellent ma famille indienne.

À côté de mon lit, des madones, des christs et des crucifix voisinent avec des vishnous, des démons, des cornes et un bouddha. Ces objets de culte sont réunis tous ensemble au cas où l'un d'eux se montrerait plus efficace que les autres, et aussi pour célébrer leur bonne intelligence.

Je possède deux œuvres de David Lynch : l'une, *Le Panneau aux abeilles*, se moque de mon amour des animaux ; l'autre, *Le Poulet en kit*, accompagnée d'un mode d'emploi, illustre la façon de réajuster les morceaux de volaille vendus en pièces détachées au supermarché.

J'ai suspendu au mur un cadre avec des timbres-poste italiens qui reproduisent un plan de *Rome, ville ouverte*. Lors-

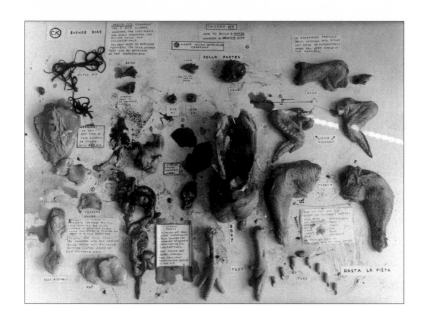

qu'ils furent émis, j'eus l'impression que ma famille avait accédé à la gloire universelle, sentiment encore renforcé lorsqu'une rue fut baptisée du nom de mon père.

Je ne possède aucun des quatre oscars de ma mère, qui sont conservés aux archives de la Wesleyan University, dans le Connecticut. En revanche, je garde sur mon bureau un petit article qu'elle avait mis sous verre pour ne jamais oublier de lire

avec un certain détachement ce qu'impriment les journaux : « Ingrid Bergman va tourner en Islande la vie d'Indira Gandhi. » En fait, maman s'apprêtait à jouer Golda Meir, et en Israël.

Ingrid Bergman är på Island och spelar in amerikansk TV-serie om **Indira Gandhi.**
– Hennes äktenskap sprack på grund av karriären, hon hade skuldkänslor för försummade barn – precis som jag.
Vem kan identifiera sig med henne om inte jag, säger Ingrid anspråkslöst. *FEMINA 17*

28 sept. 1981 69

« La seule chose que le journaliste a de bon, disait-elle, c'est le *I* d'Israël et et le *G* de Golda. » Je conserve pieusement cet écho. Il m'aide à relativiser les joies de la célébrité.

I MIEI MORTI

Mon père est mort le premier, foudroyé par une crise cardiaque. « Mort à toute allure, comme il pilotait sa Ferrari », écrivit ma mère à Dido et Jean Renoir. Quatre ans plus tard, elle mourait à son tour. Lentement, du cancer, mais droite dans ses bottes, comme elle le désirait. Ce fut ma sœur Pia qui monta sur scène à sa place pour recevoir l'Emmy Award, l'« oscar » de la télévision qui lui avait été décerné *post mortem* pour son interprétation de Golda Meir.

Quand papa a disparu, le monde s'est effondré autour de moi. Je me souviens de ma fureur contre le *New York Times* qui avait osé l'appeler « *the late film director* ». Que l'on songe à critiquer le manque de ponctualité d'un metteur en scène qui avait tant apporté au cinéma me faisait bouillir d'indignation. Je me suis calmée quand on m'a expliqué qu'en anglais, langue dans laquelle j'étais encore novice, cet adjectif signifiait aussi « défunt ». J'étais trop jeune, alors, pour recourir au réconfort de l'imagination et des souvenirs. Si je devais scinder ma vie en deux parties, à la façon dont on divise l'Histoire en avant et après la naissance du Christ, je choisirais comme date pivot le 3 juin 1977.

Quant à moi, je suis née le 18 juin 1952. La fleur que voici, ❁, je la dessine dans mon agenda pour indiquer les anniversaires, le mien comme celui de tous les gens que

Le mur aux ancêtres.

j'aime. La croix, comme celle-ci, †, représente les dates anniversaires des disparitions que je tiens à commémorer. J'ignore bien sûr où figurera ma †, mais au moment où je regarde un calendrier, j'y pense et, à chaque fois, je sens un frisson me parcourir l'échine.

Je trace une † à la date du 13 avril, jour où ma belle-sœur Lisa a succombé à une maladie affreusement cruelle dont j'ignorais tout avant qu'elle en soit atteinte. Le 4 juillet porte une † aussi, en souvenir de Zia Marcella, ma tante préférée, qui avait le nez le plus long que j'aie jamais vu. Si elle avait été américaine, un chirurgien esthétique se serait empressé de le lui raboter, mais comme elle était italienne, et de surcroît née quand l'Italie était encore une monarchie, elle l'arborait avec fierté, comme un signe de distinction. Pour toute la famille, qui ne possède aucun titre aristocratique, ce nez protubérant tendait à indiquer la présence de sang bleu dans nos veines, et peu nous importait qu'il y eût été introduit illégitimement.

Une deuxième †, au jour de la mort de papa, commémore la disparition de mon cousin Franco, emporté par ce qu'il se plaisait à appeler « un petit sida de rien du tout ». Expression qu'il jugeait pleine de tact et digne de la bonne éducation rossellinienne, preuve incontestable de notre noble origine. Franco était le champion de l'*understatement*. À l'en croire, une goutte de champagne, une pincée de sucre, un soupçon de cocaïne suffisaient à le combler. Pourtant, rien dans sa vie n'a jamais ressemblé à une pincée, un soupçon ou une ombre de quoi que ce soit. Tout, au contraire, y était excessif, démesuré, follement excentrique. Et je demeure persuadée que s'il a réussi la gageure de s'éteindre le même jour que papa à quelques années de distance, c'était afin de me prouver une fois pour toutes qu'il était le seul d'entre nous à ressembler à mon père, le grand homme, le patriarche. Ressemblance qui n'est l'apanage ni de mon frère Renzo, notre aîné à tous, ni de mon frère Roberto, malgré son prénom magique, ni de mon frère Gil, très vraisemblablement l'enfant chéri de papa. Et je ne lui ressemble pas davantage, moi qui rêvais de reprendre le flambeau paternel, en dépit de mon sexe, ce que nul n'ignorait dans la famille.

J'inscris également une✝à la date du 23 mars en souvenir d'Argenide, notre bonne, que maman s'obstinait à appeler Algida, comme les crèmes glacées italiennes. « Sans Algida, je n'aurais jamais pu être actrice, disait-elle souvent. Quand on a quatre enfants et que l'on veut poursuivre sa carrière, une femme comme elle est plus précieuse que le meilleur des agents. » Argenide a été une seconde mère pour moi. Elle est morte d'un cancer du sein, comme maman, et tout de suite après elle. C'est peut-être la preuve qu'un lien mystérieux et surnaturel les unissait. En tout cas, je l'ai toujours pensé.

À la page du 29 août, mon agenda arbore une✿et une✝: ma mère est morte le jour de ses soixante-six ans. Tout le monde a trouvé la coïncidence bizarre et on a voulu y voir un prodige. Moi, j'y reconnais l'ultime expression de son sens typiquement suédois de l'ordre et de l'organisation.

Tous ces gens sont *i miei morti*, mes morts à moi. Je leur parle, je ressens leur présence. J'ai été élevée dans la foi catholique, mais je ne suis pas quelqu'un de très religieux, je me sens plutôt proche d'un certain paganisme. Je dirais presque que je suis une adepte de... j'ai oublié le nom... Vous savez, la religion qui prescrit le culte des ancêtres. J'ai d'ailleurs accroché sur un mur toutes les photos des miens. Ils représentent en tout sept générations.

Au début, j'avais mis leurs portraits dans la chambre de ma fille, mais quand elle a compris que tous ces gens étaient morts – sauf Flo et Fred, ses grands-parents paternels, Jonathan, son papa, et moi, sa maman –, elle a

Été suédois.
Photo dédicacée par maman
à ma cousine Fiorella.

perdu le sommeil et refusé d'entrer dans ce qu'elle s'est mise à appeler la *chambre des fantômes*. De sorte que j'ai dû reléguer les ancêtres dans l'entrée, avec mes animaux. C'est là que chats et chiens sont censés rester la nuit, mais ils refusent de dormir avec mes chers disparus et leur acharnement à se glisser dans nos lits a toujours eu raison de ma détermination.

Quand maman est morte, mes sœurs et mon frère se sont chargés de fermer son appartement de Londres et de le mettre en vente. Enceinte d'Elettra, j'étais trop proche de l'accouchement pour quitter New York. Un jour, Pia m'a appelée au téléphone : « Tu sais, les photos que maman gardait près de son lit ? » Je les connaissais, bien sûr. Il y avait là ses quatre rejetons, Fiorella, la fille de Zia Marcella, que maman chérissait comme un cinquième enfant, ma grand-mère Friedel, morte quand maman n'avait que deux ans, mon grand-père Justus, mort quand elle en avait douze, ma grand-tante Ellen, emportée l'année suivante, et Lars, le troisième mari de ma mère, qui figurait encore dans sa collection, bien qu'ils aient divorcé. Pia a continué : « Eh bien, les photos de grand-père, de grand-mère et de tante Ellen sont couvertes de traces de baisers. »

J'imagine que maman entretenait secrètement des relations avec ses défunts, qu'elle embrassait leurs portraits en leur murmurant des secrets, comme je le fais moi-même et comme le fait probablement Ingrid, ma jumelle. Ses liens avec l'au-delà devaient être bien puissants car, le jour de son décès, sa mère lui est apparue. Maman était couchée dans son lit, chez elle. Elle était en train de mourir, mais elle avait toute sa

Quelques fleurs provenant du bouquet de mariée de Friedel.

conscience. Le matin, ouvrant les yeux, elle vit sa mère assise devant la coiffeuse. « Maman est venue me chercher ! » nous annonça-t-elle. Dès lors, nous avons su que notre mère serait morte avant la tombée de la nuit. En général, quand j'arrive à ce moment de l'histoire, mes amis me disent d'arrêter. « C'est dangereux de raconter ça. Et n'étale pas trop non plus ta spiritualité, tes conversations avec tes morts et tout ça. » Alors, je vous dirai seulement que ma vie ressemble aux romans de Gabriel García Márquez, vous savez, ces récits où les morts sont aussi présents et actifs que les vivants. Mais... restons-en là.

Autoportrait de ma grand-mère Friedel
(dont le fantôme apparut à maman).

MENSONGES

Avez-vous remarqué que je vous ai menti ? Eh oui, quand j'ai parlé des quatre oscars de ma mère ! En fait, elle n'en a reçu que trois : un d'interprétation pour *Hantise*, un autre pour *Anastasia*, et un troisième, celui du meilleur second rôle, pour *Le Crime de l'Orient-Express*. Pendant des années, elle a été la seule avec Katharine Hepburn à détenir trois oscars, jusqu'à ce que celle-ci, affaiblie et tremblotante, en remporte un quatrième pour son rôle dans *La Maison du lac*. Et c'est ainsi que maman s'est vue frustrée du titre de comédienne la plus récompensée. Vexée, j'ai réécrit l'histoire à ma façon. De toute manière, je passe mon temps à raconter des craques. Ça m'amuse. Je ne mens pas vraiment, non, je ne fais qu'enjoliver la réalité, lui donner un peu de *coloratura*. Comme les enfants qui font des coloriages par-dessus les dessins pour les embellir.

J'en viens parfois à penser que mes exagérations, mes petites retouches à la vérité, sont plus véridiques que la réalité. Laissez-moi vous expliquer. Un soir, à la télévision, j'aperçois Paloma Picasso, entourée d'une foule immense, dans un village dont j'ai promis de taire le nom. Le reporter explique que le gouvernement du pays en question a racheté et restauré la maison où Pablo Picasso est né, où il est mort, où il a travaillé et où l'un de ses nombreux enfants est né (je ne vous dirai pas lequel), afin de la transformer en musée. Raison pour laquelle Paloma est présente à l'inauguration. Quelques jours plus tard, nous dînons toutes les deux à New York – nous sommes amies. Elle me demande : « Tu ne m'as pas trouvée bizarre, l'autre jour, à la télé ? Tu sais quoi, le ministère de la Culture s'est fichu dedans, il n'a pas racheté la bonne maison, mais celle d'à côté. Au début, j'étais dans mes petits souliers, et puis je me suis dit que c'était assez dans l'esprit de Picasso ! Du coup, je me suis bien amusée, alors que ce genre de cérémonie, ça peut être d'un rasoir ! »

Suis-je claire ? Comme Paloma, je pense qu'une erreur peut humaniser la vie, la rendre beaucoup plus sympathique, lui donner un petit supplément d'âme.

PERFECTION ET IMPERFECTION

Mon premier mari, le réalisateur Martin Scorsese, était très conscient du pouvoir de l'imperfection et la tenait en haute estime. À l'époque où il travaillait au montage de *Raging Bull* à la maison, il m'a montré une scène et m'a confié : « Le problème, c'est qu'elle est parfaite. Il ne faudrait pas qu'elle soit aussi bien. Et pourtant, j'aime tellement cette version que je ne veux pas la changer. » Il a résolu le problème en supprimant quelques images et il m'a dit : « Maintenant qu'il manque quelque chose, je suis sûr que l'âme s'élancera plus librement. »

Cette anecdote me touche infiniment car elle me semble marquée par une sagesse ancestrale, une connaissance transmise de génération en génération. Et, bizarrement, elle me fait toujours penser au nez de Joel Schumacher.

Joel est un autre réalisateur avec lequel j'ai travaillé. C'était sur *Cousins*, le remake du *Cousin cousine* de Tacchella. Lui, il m'a raconté une histoire que j'ai fini par m'approprier. Je la cite toujours quand il s'agit de définir l'élégance. Elle remonte à l'époque lointaine où il était l'assistant de Diana Vreeland, la papesse de la mode, qui fut rédactrice en chef de *Harper's Bazaar* avant d'être celle de *Vogue*. Joel a un nez très long. Se disant qu'un menton plus important en réduirait l'aspect disproportionné, il s'était fait pousser la barbe. Diana Vreeland lui a dit : « Tu as tort ! Assume ton nez ! N'aie pas peur de le faire paraître encore plus grand ! »

J'aime beaucoup cette idée : en matière d'esthétique, considérer la perfection comme une banalité et voir l'imperfection comme quelque chose d'unique, de singulier, d'original, la définition même de soi. Comme les poches sous les yeux d'Anna Magnani ou les ongles en deuil d'Audrey Hepburn.

Je les ai remarqués au cours d'un dîner pour l'Unicef que nous parrainions toutes les deux. Debout à la tribune, Audrey Hepburn prononçait son discours, se retenant des deux mains au lutrin. J'étais assise en contrebas de l'estrade, attendant mon tour de prendre la parole. Ses doigts étaient à hauteur de mes yeux. Le croiriez-vous, cette ravissante, si gracieuse et délicate Audrey avait la main solide, pratique, prosaïque. Une main qui, apparemment, venait de vaquer au jardin ou de faire le ménage, une main, me suis-je dit, qui n'avait pas peur d'empoigner tournevis ou marteau. Étant donné l'amour que je tiens de ma mère pour tout ce qui est pratique, mon admiration pour elle n'en a que redoublé. L'autre Hepburn, Katharine, était de la même trempe. J'ai pu m'en convaincre la première fois que je l'ai rencontrée, probablement la dernière car je ne l'ai jamais revue et je doute qu'il me soit donné un jour de partager à nouveau l'ascenseur de l'hôtel Pierre avec l'illustre actrice. C'était à l'occasion du service funèbre d'Irene Selznick, la meilleure amie de maman, et je me rendais à son appartement où se réunissaient famille et amis. Et voilà qu'à ma suite pénètre dans l'ascenseur la grande, la solide, la directe Katharine Hepburn. La reconnaissant, j'ai aussitôt baissé les yeux, maman m'ayant appris à ne pas regarder les stars comme des bêtes curieuses. Elle-même aurait bien voulu que les gens agissent ainsi en sa présence, au lieu de la dévisager ou de l'apostropher, quand ils ne commentaient pas avec leurs voisins sa belle mine ou son jeu dans le dernier film qu'ils avaient vu, comme si ce n'était pas elle dans l'ascenseur, en chair et en os, mais son émanation magique descendue de l'écran.

Donc, les yeux discrètement baissés, je vois que la fameuse Katharine Hepburn a des revers de pantalon tout froissés et déchirés, avec des fils hérissés dans tous les sens. Je suis en train de me dire que c'est le comble du chic quand un souffle puissant me plaque soudain contre la paroi, tandis que, sous le choc, mes cheveux se dressent sur ma tête. Des mots retentissent : « Vous êtes la fille d'Ingrid ? » C'était Katharine Hepburn qui me parlait. Et d'une voix reconnaissable entre mille à son timbre, à son élocution parfaite, à son ton impérieux : d'une voix d'actrice. Ma mère possédait une voix semblable et nous lui disions qu'elle n'avait pas besoin de téléphone pour se faire entendre à l'autre bout de la ville. Elle se justifiait en disant : « Il faut bien qu'on me comprenne dans les derniers rangs. » Mais le théâtre n'y est pour rien. Ce genre de voix révèle la star. Dites-vous bien que les stars sont faites d'un matériau indestructible, aussi fragiles et vulnérables puissent-elles vous paraître à l'écran.

« Oui, ai-je répondu, je suis sa fille.

– Celle qui a fait *ce* film ? »

Je n'ai jamais su si c'était une question ou une constatation, tellement j'étais bouleversée. La grande Katharine voulait certainement parler de *Blue Velvet*, le film où je suis nue… Notre entrevue s'est arrêtée là : avant que j'aie pu ouvrir la bouche, nous étions arrivées à l'étage d'Irene et elle était sortie de la cabine.

Les sages ne disent-ils pas qu'aucune vérité n'est définitive ? Je l'espère, parce que je trouverais cela réconfortant. Ça rendrait tout possible. J'entends souvent affirmer que la beauté a ses canons. Il y a du vrai là-dedans, je ne le nie pas, mais c'est bien déprimant, compte tenu du petit nombre qui atteint à la perfection et de la foule immense qui reste à piétiner au bas de l'échelle.

Quant à moi, je définirais l'élégance comme étant l'expression la plus totale et éclatante de soi, sans s'inquiéter des canons. Et vivent les poches sous les yeux, les ongles sales, les haillons et les voix de stentor !

Savez-vous qu'il suffit parfois d'une dent cassée pour « signer » un physique ? La mienne résulte d'un coup de téléphone, au sens propre du terme, puisque l'appareil m'a été jeté à la tête par mon frère Roberto au cours d'une dispute quand nous étions petits. Ma mère a eu tort de pleurer en voyant ma dent ébréchée, car celle-ci, entre autres particularités, fait de moi un être unique.

Ça, c'est la première affiche où apparaît mon véritable sourire, quand Lancôme a cessé d'exiger que l'on bouche le trou entre mes dents à la cire, celle dont se servent les entreprises funéraires pour maquiller les cadavres. Au début de notre collaboration, on arrangeait ma dent cassée pour les séances de photos comme pour mes apparitions en public. Un beau jour, elle fut considérée comme mignonne, on décréta que c'était un trait qui n'appartenait qu'à moi. Et mon vrai sourire fut enfin révélé dans les campagnes de publicité.

Si je n'ai jamais voulu me faire limer les dents ou poser une jaquette, c'est que je n'ai pas eu une carie de ma vie. Je ne vais chez le dentiste que pour me faire nettoyer les dents et je n'ai pas envie d'intervenir à l'intérieur de ma bouche alors que l'ordre y règne.

41

La première pub où ma dent cassée n'est pas rafistolée
avec de la cire d'embaumeur.

Là, pour empêcher la chance de tourner, je m'arrête pour faire la *corna* (regardez le dessin). Je plie les deux doigts du milieu et je dresse l'index et l'auriculaire. C'est la païenne en moi qui fait ce geste, et c'est peut-être lui qui protège mes dents.

LA *CORNA*

Je fais souvent la *corna* dans la vie. Comme le jour de mes quarante ans, quand ma maison remplie de fleurs m'est soudain apparue aussi funèbre et sinistre que si l'on s'y retrouvait pour un enterrement. Les impressions de ce genre, je ne les prends pas à la légère. Si une image me traverse le cerveau avec la clarté d'un éclair dans un ciel sans nuages, c'est qu'elle m'envoie un message. En l'occurrence, les gerbes offertes par Lancôme étaient trop nombreuses, elles puaient la culpabilité.

Six jours plus tard, ma prémonition s'est confirmée : Pierre Sajot, alors président de Lancôme, a débarqué à Berlin, sur le tournage de *L'Innocent*, de John Schlesinger, où j'avais pour partenaires Anthony Hopkins et Campbell Scott. Il s'était déplacé en personne pour m'annoncer que Lancôme avait décidé de mettre fin au contrat qui nous liait. Mon âge les inquiétait. Depuis 1983, j'étais leur mannequin exclusif pour les campagnes internationales, lesquelles se déroulaient dans plus de pays que je ne puis en nommer – plus de cent vingt. Pierre Sajot tenait à présenter mon renvoi diplomatiquement : il fallait prétendre que la décision n'était pas imputable à Lancôme mais que c'était un choix de ma part, dicté par mon désir de me consacrer pleinement à ma carrière de comédienne.

J'ai refusé. D'abord parce que j'adore le métier de mannequin et que je voulais rester disponible pour les photographes et les créateurs de mode qui voudraient travailler avec moi. Ensuite, parce que je ne vois pas grande différence entre mes deux professions. Il était clair que ce motif n'arrangeait que Lancôme, il lui permettait de se débarrasser de moi sans faire de vagues. J'ai donc refusé de porter le chapeau et attendu de voir comment ils allaient s'y prendre pour imposer leur décision.

Cela a commencé par un défilé de gens chargés de me faire entendre raison. Pendant près de deux ans, directeurs artistiques et directeurs de départements se sont succédé. « Comprends bien que c'est ton image qui en pâtira, si Lancôme déclare qu'ils ne veulent plus de toi... Aucune femme n'a intérêt à ce que l'on crie sur les toits qu'elle aborde l'âge mûr... Ne dis rien, retire-toi avec grâce, sans mentionner ton âge. » Et patati et patata...

Je ne tiens pas à vous embêter avec tout ça. J'ai essayé bien souvent de raconter cette histoire sur le ton de la plaisanterie, le plus approprié selon moi. Je n'y suis pas arrivée. Alors, si vous ne supportez pas l'idée de vous ennuyer, sautez quelques pages.

OÙ CELA DEVIENT ENNUYEUX

Durant ces deux années de mise au rancart, les pourparlers se sont poursuivis, diverses solutions ont été étudiées. Lancôme considérait la fourchette vingt-huit-trente-deux ans comme l'âge idéal de son mannequin, pas trop vieux pour la clientèle adolescente, ni trop juvénile pour les plus de quarante ans. J'ai proposé, sans succès, de partager la campagne avec une fille plus jeune. À condition, bien sûr, de ne pas me voir reléguée à la promotion exclusive des crèmes antirides, comme l'avaient été chez des groupes concurrents certains *tops* ayant atteint la limite d'âge. Pour moi, mode et ligne de soins doivent être au service de l'élégance et de la classe, et cette idée de jeunesse éternelle me paraît aux antipodes de ces qualités. Disons-le tout net : je la trouve totalement idiote. Cependant, bien que refusant de promouvoir uniquement des produits qui représentaient un état d'esprit opposé à ma philosophie, si vous me permettez une formule aussi ronflante, je cherchais malgré tout le moyen de préserver ma situation, non seulement en raison de son aspect lucratif, mais parce que avec les années je m'étais attachée à Lancôme. J'y avais remporté des succès sans précédent qu'il me serait difficile de reproduire ailleurs.

J'avais une solution à proposer : développer une ligne de produits et d'accessoires autour du parfum *Trésor*, qui connaissait une réussite considérable. Ses ventes mondiales avaient dépassé celles du *N° 5* de Chanel qui, depuis trente ans, détenait le record en la matière. Les autres produits Lancôme ne portaient pas mon empreinte, je les avais présentés, un point c'est tout, alors que je m'étais impliquée dans *Trésor*. Pour la première fois, j'avais collaboré au développement d'un produit, j'avais participé à la sélection des jus et au choix de l'emballage, ma photo en avait assuré la promotion et je l'avais présenté moi-même dans le monde entier. Et voilà qu'après un an et demi de travail, ce projet d'une ligne d'accessoires et de produits de beauté déclinant le thème *Trésor* était assassiné et ce, le jour même où j'étais censée signer le contrat définitif me liant à sa production. Pour quelle raison ? Dieu seul le sait.

Ma déception fut immense. On me dit de ne pas m'inquiéter, on me fit comprendre que Lindsay Owen-Jones et Gilles Weil, les deux grands patrons de L'Oréal, maison mère de Lancôme, avaient d'autres projets pour moi. Et de fait, ils m'en firent part trois mois plus tard, en mars 1994, au cours d'un dîner. Ils commencèrent par réitérer leur proposition originale d'annoncer mon départ du poste de mannequin et de porte-parole de la compagnie pour convenances personnelles. Pour me convaincre du bien-fondé de son point de vue, Lindsay, qui participe à des courses automobiles et affectionne le vocabulaire des pilotes, me compara à un champion du monde qui se retire en pleine gloire, après avoir remporté tous les trophées possibles et imaginables. Je lui rétorquai que j'aimais trop ce métier pour l'abandonner et lui opposai l'exemple, tout aussi valable, des stars qui avaient travaillé toute leur vie : Jeanne Moreau, Tina Turner ou ma mère, pour ne pas la citer.

Je demandai si une chute des ventes, ou d'autres critères commerciaux, donnaient à penser que j'étais responsable d'une éventuelle désaffection de la clientèle jeune. Lindsay et Gilles se récrièrent. Et Lindsay de m'exposer que le rôle d'un chef d'entreprise consiste à prévoir l'avenir, non pas sur deux ou trois ans, mais sur cinq ou six. J'insistai : mon âge était justement la meilleure des publicités pour Lancôme, en matière de relations publiques il leur obtiendrait l'adhésion des femmes qui bien souvent s'agacent, non sans raison, de voir des filles de vingt ans vanter les produits antirides.

Lindsay réfuta mes objections avec une pointe d'irritation. Gilles, plus ouvert, admit que ce dernier argument n'était pas dénué de fondement, mais qu'il ne concernait qu'une part marginale du marché. Ce soir-là, mon destin fut scellé : à mon grand regret, je quittai Lancôme.

UN DOIGT DE PHILOSOPHIE

J'ai un ami, Luciano De Crescenzo, qui est philosophe. C'est son métier. Aussi étrange que cela paraisse, il gagne sa vie en faisant de la philosophie. Voilà comment il m'explique dans une lettre le point de vue des directeurs de Lancôme :

Le deuxième principe de la thermodynamique établit que la nature ne saurait s'améliorer, elle ne peut qu'empirer. En raison de l'entropie, le beau peut se transformer en laid, mais le laid ne peut devenir beau. Pour te donner un exemple qui t'aidera à comprendre...

Luciano aime bien utiliser mon ignorance pour obtenir à peu de frais une étude de marché sur ses œuvres, persuadé que si j'arrive à suivre ses extrapolations, tout le monde en fera autant, alors que si je ne pige rien, elles toucheront, au mieux, une poignée d'élus.

Pour te donner un exemple qui t'aidera à comprendre, prends un beau poisson dans un aquarium. Il peut se transformer en bouillabaisse, tandis que de la bouillabaisse ne se transformera jamais en aquarium avec un beau poisson.

En s'efforçant de donner un vernis philosophique à mes déceptions professionnelles, Luciano cherchait certainement à me consoler, mais avouez que son principe thermodynamique appliqué aux femmes de plus de quarante ans est tout, sauf attirant. Du moins, tel que je l'ai compris.

L'AU-DELÀ À LA RESCOUSSE

Finalement, les morts donnent plus de satisfactions. Lénine notamment. Il y a quelques années, j'ai lu dans le *New York Times* que son corps, exposé dans le mausolée de la place Rouge à Moscou, était en excellente condition grâce aux soins attentifs que lui prodiguait un certain Dr S. Debov. Celui-ci, depuis quarante ans, lui fait un check-up complet deux fois par semaine, le lundi et le vendredi, et lui passe sur le visage et les mains un peu de ce fluide qui sert à embaumer les défunts. Tous les dix-huit mois, disait l'article, il lui fait prendre un bain et lui injecte un produit spécial. Cette solution, de composition secrète et développée par des savants soviétiques, a la vertu d'empêcher la prolifération des bactéries à l'intérieur du cadavre tant qu'on le maintient à la température de seize degrés et à un degré d'hygrométrie de soixante-dix pour cent. Aucun échange d'eau ne se produit alors avec l'environnement, et la peau reste souple, aussi longtemps que sont respectées ces deux conditions.

Le beau crâne de Lénine, lui, a été vidé de son cerveau le lendemain de sa mort. Certains de son génie, les bolcheviques l'ont remis à un institut fondé tout exprès en vue d'étudier les neurones des grands hommes. Le cerveau d'Andreï Sakharov y a été expédié, de même que celui de Staline (lequel a longtemps tenu compagnie à Lénine dans le mau-

47

solée, jusqu'à ce qu'on l'en retire pour des raisons politiques qui n'ont rien à voir avec la fraîcheur de son teint). L'article précisait encore : « Si un médecin pathologiste faisait une étude comparative d'échantillons de peau provenant de Lénine et d'un individu récemment décédé, il ne saurait les distinguer, tant le leader soviétique est en parfait état de conservation. » Aussitôt, j'ai envoyé l'article à Lancôme, accompagné d'une note : « Et si l'on demandait son aide au Dr Debov ? Il nous fournirait peut-être des renseignements précieux. » J'attends toujours la réponse.

CONVERSATIONS AVEC MES MORTS

Si les explications de Luciano me furent de peu d'utilité, parler avec mes défunts m'aida à surmonter ma déception. Il n'est pas conseillé d'aborder ce sujet, je le sais, mais si je l'occulte, vous ne comprendrez pas mes choix de vie.

Quand mon contrat avec Lancôme a été résilié, j'ai commencé à ressentir la présence de mon père tout autour de moi. Son fantôme ne me lâchait pas d'une semelle. Cependant, je refusais de lui parler, voyant à sa façon de déambuler qu'il était d'humeur à faire une de ses scènes. Celles qui se terminent sur des injonctions d'une telle intelligence et d'une telle rigueur morale que personne au monde ne peut les mettre en pratique, si vous voyez ce que je veux dire. Comme, du vivant de papa, personne n'avait réussi à lui clouer le bec, j'imaginais bien que la tâche ne serait pas plus aisée maintenant qu'il était mort. Ayant la faculté de le faire apparaître en tout lieu et à tout moment, que je sois éveillée ou endormie, j'ai fini, de guerre lasse, par ouvrir le dialogue.

ISABELLA : Bon, qu'est-ce que tu as à me dire ?

MON PÈRE : Ah, ah, fini l'argent facile ! Fini les millions ! Qu'est-ce que tu comptes faire maintenant, pleurer sur ton sort ?

ISABELLA : J'ai toujours gardé les pieds sur terre, d'abord ! J'ai toujours su que je gagnais trop d'argent pour ce que je faisais, je l'ai répété dans mes interviews. J'ai même dit qu'en termes de facilité, avoir un contrat avec une marque de cosmétiques était le moyen numéro 2 de devenir millionnaire, le premier étant de gagner au Loto. Cette formule n'a jamais fait rire personne, elle a laissé les journalistes perplexes, mais j'ai continué à l'utiliser, pour te faire plaisir. Parce que j'étais sûre qu'elle te plairait. Cela dit, que les mannequins soient payés plus cher que les neurochirurgiens n'est pas la seule injustice au monde.

MON PÈRE : Ce n'est pas une raison pour y apporter ton concours.

Vous voyez ce que je veux dire quand j'affirme que mon père est intraitable ? Comment peut-on vivre selon ses diktats ! Chaque fois qu'il monte sur ses grands chevaux, ma mère vient s'asseoir à côté de moi et me jette des regards en coulisse.

ISABELLA : Selon toi, je fais un métier si bête que je ne devrais pas m'étonner de le voir gouverné par la bêtise et la superficialité ? Je n'ai pas volé ce qui m'arrive, c'est ça ?

Quand je commence à m'énerver, maman s'en mêle :

MA MÈRE : Ma chérie, réjouis-toi plutôt d'être restée si longtemps chez Lancôme. Tout a une fin, tu sais. Rappelle-toi que tu as quarante-deux ans et que la plupart de tes consœurs raccrochent les gants avant la trentaine.

ISABELLA : Par pitié maman, épargne-moi le refrain qu'on me serine dans la profession : « Nous vendons du rêve, et celui des femmes, c'est la jeunesse éternelle. »

MA MÈRE : Pourtant, il doit y avoir du vrai là-dedans. Tous les magazines, toutes les publicités emploient de jeunes mannequins. Ils ont dû faire... Comment appelle-t-on ça, déjà ? Des études de marché...

ISABELLA : Maman, on t'a déjà dit que tu étais belle ?

MA MÈRE : Oh, bien souvent.

ISABELLA : Et ça te faisait plaisir ?

MA MÈRE : Beaucoup. Mais c'était un peu gênant. Je ne savais jamais quoi répondre. Jusqu'au jour où j'ai trouvé la réplique qui coupait court à tout : « C'est une chance, non ? » Après, on pouvait passer à des sujets plus passionnants.

ISABELLA : Maintenant, raconte-moi ce que tu as ressenti quand les gens ont commencé à te parler de ta beauté au passé. Ça t'a blessée, non ?

Mon père remontant la fermeture Éclair de maman.

MA MÈRE : Blessée est un grand mot. Ça ne m'a pas fait plaisir, mais je ne me suis pas vraiment sentie concernée, j'ai pensé que c'était un manque de tact.

ISABELLA : Ça ne t'a pas déprimée de vieillir ?

MA MÈRE : Mais non. La jeunesse n'est pas tout dans la vie.

ISABELLA : Ravie de te l'entendre dire ! Dans ce cas, pourquoi tout le monde croit-il que les femmes veulent la conserver à tout prix ?

MA MÈRE : Où veux-tu en venir ?

ISABELLA : Je veux dire que ce n'est pas le but ultime. C'est plus compliqué que ça.

MA MÈRE : Pourtant c'est beau, d'être jeune...

ISABELLA : Bien sûr, mais ça ne suffit pas. Tu sais, les photos de mode et de publicité ont fini par former un langage. Elles sont devenues des mots, des hiéroglyphes qui signifient : vitalité, santé, énergie, curiosité, joie, aventure. Voilà de quoi rêvent les femmes, au fond. Je crois que mon succès chez Lancôme tenait beaucoup au fait que je n'étais plus si jeune que ça. Ça ne m'a pas empêchée d'incarner bien des rêves. Pourquoi s'en tenir à la jeunesse, d'ailleurs ? Soyons plus ambitieuses ! Si on rêvait de l'immortalité ?

MA MÈRE : Quelle idée ! Moi, je suis morte à mon heure. J'étais prête.

ISABELLA : Ça t'aurait plu, de rester jeune ? D'être à jamais la jeune femme de *Casablanca,* dans la scène de l'aéroport, avec ses yeux embués à demi cachés par son chapeau ?

MA MÈRE : Oublie un peu *Casablanca,* tu veux ? On croirait que je n'ai jamais rien tourné d'autre de ma vie. Non, je ne souhaitais pas rester cette femme-là. Quoi qu'il en soit, mieux vaut vieillir que de mourir prématurément. Ça me paraît nettement préférable.

ISABELLA : Maman, explique-moi pourquoi papa est si remonté contre mon métier. Il ne voit pas que la mode, les produits de beauté, font bien plus que d'enrichir des multinationales ? Que leurs créateurs s'efforcent de comprendre les femmes, la façon dont elles se voient, leurs aspirations ? Lui qui les a tant aimées, qui a tout accepté pour elles, comment peut-il mépriser cette expression de la féminité ?

MA MÈRE : Tu connais ton père, il n'aime que les choses sérieuses. Le charme et la légèreté ne font pas partie de son univers : ils ne servent qu'à nous manipuler. C'est pareil dans ses films. Son intégrité est sa plus grande qualité, son originalité. N'empêche que le reste du monde adore le glamour et le divertissement.

MON PÈRE : Ne commence pas, Ingrid, j'aime beaucoup m'amuser, mais je ne vois pas ce que la bêtise a de drôle.

Cette phrase de papa, « Je ne vois pas ce que la bêtise a de drôle », a sans doute joué un grand rôle dans la vie de mes parents. Je ne les ai jamais vus se disputer à propos d'un film mais cela a dû leur arriver. Mon père, avec son esprit rigoureux, moral et sans artifice, trouvait amusant ce qui élargissait sa vision du monde et s'obtenait au terme d'une recherche longue et scrupuleuse sur le plan historique. Ma mère, elle, bien qu'aimant les films de mon père, ne dénigrait pas pour autant le divertissement hollywoodien, les films avec des stars fascinantes et pleines de brio, les histoires bien enlevées avec une intrigue sentimentale, du suspense et des aventures incroyables, comme *Anastasia*, par exemple, qu'elle a tourné en 1956. Alors que les erreurs historiques de cette œuvre ont certainement exaspéré mon père, tout comme la romance, la valse et l'idée que l'amour résout tous les problèmes, thème présent dans tout le cinéma hollywoodien. Si mon père l'avait réalisé, ce film aurait été complètement différent. La question de savoir si Anastasia était la fille du tsar n'aurait jamais servi de pivot à l'histoire. S'en tenant rigoureusement aux faits, papa aurait présenté son héroïne comme un personnage emblématique, une victime de la guerre, pour montrer le drame vécu par tant de gens, le choc, l'amnésie, l'exil, la perte de l'identité. Le film se serait référé aux événements politiques et sociaux de l'époque, aux années précédant la Première Guerre mondiale, à la révolution russe, à Lénine, au déclin des monarchies européennes et... maman n'aurait pas remporté son oscar, car il n'aurait diverti personne.

ISABELLA : Tu sais ce que Coco Chanel a dit du luxe, maman ? Que c'est un besoin qui apparaît une fois tous les autres satisfaits. Mettre du rouge à lèvres ou prendre un bain moussant, c'est s'accorder l'illusion temporaire que le nécessaire est acquis et que l'on peut s'adonner au superflu.

MA MÈRE : C'est la même chose pour le cinéma. Pas le tien, Roberto, nous ne parlons pas de tes films. En général, le cinéma est fait pour t'emporter hors de la réalité et te distraire un moment.

Tout est divertissement : le cinéma, la mode, le maquillage, le cirque, les parcs d'attractions. Et je trouve que c'est un don, de savoir divertir les gens, je suis heureuse de l'avoir fait. Isabella, tu te rappelles ce jeu auquel nous jouions quand tu étais petite, où chacun devait nommer l'animal qu'il aurait aimé être ? C'est un test psychologique pour découvrir qui nous sommes réellement. Moi, j'avais dit : un cheval de cirque, avec des plumes sur la tête.

MON PÈRE : Eh bien moi, j'aimerais être cette créature dont on pense qu'elle a existé bien qu'on ne l'ait jamais découverte, cet ancêtre commun au singe et à l'homme. Ce serait fascinant. Je serais curieux de voir à quoi elle ressemblait.

ISABELLA : Moi, je serais un mouton, j'en ai peur. J'ai un instinct grégaire très développé, je suis malheureuse loin du troupeau. La preuve, je suis triste de quitter Lancôme, je me languis de la maison dès que je suis en voyage et je continue de vous parler alors que vous êtes morts depuis des années.

Mais mon père déteste qu'on s'apitoie sur soi-même, quant à ma mère, n'en parlons pas ! Elle n'a pas plus de patience pour cela que pour le reste et je les entends me dire en chœur, exaspérés tous les deux : « Tu as bientôt fini ?! »

JE N'AIME PAS FORCÉMENT L'IDÉE D'ÊTRE VIEILLE MAIS CELLE D'ÊTRE NÉE IL Y A BIEN LONGTEMPS ME PLAÎT ASSEZ

Sans pousser la provocation jusqu'à me prétendre attirée par la vieillesse, je dirai que j'aime me considérer comme *ancienne*. Et j'ai d'excellentes raisons pour cela.

1. Les chaussures. Quand j'étais petite, je n'allais pas pieds nus. Dans l'Italie dévastée et ruinée de l'après-guerre, c'était un signe de fortune incontestable et je me souviens que je me sentais supérieure aux autres enfants.

2. Les mines. Pendant des années, il nous a été interdit de jouer dans les champs. Le déminage, en effet, était un problème quasiment insurmontable. Parce que, semble-t-il, pour ne pas perdre leur emploi, les unités spécialisées s'empressaient d'enfouir dans le champ voisin les obus déterrés.

3. Les appels dans les rues. Je me souviens du cri très particulier de l'*arrotino*, qui aiguisait nos couteaux et nos ciseaux sur sa meule de pierre en pédalant pour la faire tourner, comme s'il était à bicyclette. Et du cri du *stracciaiolo* qui récoltait chiffons et vieux vêtements. J'ai aussi vu des ramoneurs au visage noir de suie, comme dans les romans de Dickens.

4. *Facetta nera bella Abissina…* (« Belle Abyssine à la frimousse toute noire… ») C'est la ritournelle que l'on chantait dans le temps, quand l'Italie s'évertuait à demeurer un empire en colonisant l'Éthiopie. Je l'avais apprise du perroquet de ma tante : il la fredonna chaque jour de sa vie, et l'on sait que les perroquets meurent très vieux.

5. Les guimbardes. On traitait les automobiles avec les mêmes égards que jadis les chevaux. On les gardait jusqu'à ce qu'elles meurent de vieillesse et, aussi, on les baptisait. Notre préférée, c'était Joséphine, une Fiat 600 qui est passée entre les mains de toute la famille pour finir en générateur chez Maria, couturière sur tous les films de papa. Elle n'avait pas l'électricité, à la campagne.

6. Rome sans voitures. Je n'ai pas connu ce temps-là, mais ma famille se rappelait que l'on entendait gargouiller les jets d'eau de toutes les fontaines.

7. Giuseppe Garibaldi. Zia Marcella était convaincue que, pour financer ses films, papa avait vendu des objets ayant appartenu à l'artisan de l'unité italienne. Garibaldi les avait confiés à un ami, qui n'était autre que mon arrière-grand-père Zeffiro. Il s'agissait de lettres du grand homme, remerciant mon aïeul de lui avoir donné des chaussettes et des *panciere*, ces corsets souples auxquels les Italiens attribuent le pouvoir de prévenir toutes sortes de maladies, de la diarrhée à la grippe, en passant par le mal au dos et l'indigestion. Il y avait aussi une paire de bottes – dont l'une,

troué, était celle que portait Garibaldi quand il reçut une balle à la jambe –, et, je vous le donne en mille, des rognures d'ongles ! Vous reconnaîtrez que ce n'est pas banal ! Comment ces rognures d'ongles se sont-elles retrouvées entre les mains de mon aïeul, je n'en ai pas la moindre idée. Garibaldi les a-t-il envoyées lui-même à Zeffiro ? Quelqu'un les a-t-il ramassées un jour que Garibaldi se coupait les ongles, conservées comme des reliques pour, *ensuite*, les transmettre à mon ancêtre ? Partageant l'obsession des miens dès qu'il est question de financer un film, j'ai été soulagée d'apprendre que ces bizarres possessions étaient restées dans la famille et que papa pouvait encore les monnayer. Je ne me suis pas préoccupée de l'interroger sur leur origine, et maintenant c'est trop tard, tout le monde est mort.

8. La nourrice. Le signe le plus clair de mon *ancienneté* est que j'ai été nourrie par une nourrice, maman n'ayant pas assez de lait pour Ingrid et moi. Sur la photo, c'est nous deux dans les bras de l'opulente Matilde.

Les nourrices italiennes venaient le plus souvent de la ville de Frosinone, près de Naples. Quand elles trouvaient une place, elles laissaient leur bébé chez elles aux soins d'une femme qui avait du lait. Il était considéré comme indécent de leur verser de l'argent pour un service aussi particulier et elles étaient rétribuées avec des billes de corail et des coupons de soie.

Des années plus tard, et je n'exagère pas parce que ça s'est passé à presque trente-cinq ans d'intervalle, je suis allée à Toronto faire une « présentation » pour Lancôme. Cela consiste à se rendre dans un grand magasin où les gens viennent vous voir, car les rencontres sont annoncées dans la presse. Ne me demandez pas leur but. Je déteste me retrouver sur un podium, je trouve cela terriblement gênant. D'un côté, on a l'impression d'être un singe dans un zoo, face à tous ces gens qui vous regardent, vous parlent, vous demandent un autographe ou vous prennent en photo ; de l'autre, on est persuadé de ne pas être à la hauteur de leurs attentes, après tout ce qu'ils ont forcément entendu dire de vous.

Quoi qu'il en soit, j'en faisais, de ces présentations, et ce jour-là, alors que je souriais du haut de mon piédestal, voilà que je découvre Giuseppe au milieu des centaines de per-

Matilde, notre nourrice.

sonnes attroupées devant moi. Mon frère de lait, le fils de
Matilde ! Un garçon que je crois bien n'avoir jamais rencontré de ma vie, n'ayant pas revu Matilde depuis l'âge de
un an et demi. Et pourtant, dès que je l'ai aperçu, j'ai su que
c'était lui. Sa tête me paraissait énorme.

Je l'ai appelé par son nom et lui ai dit de me rejoindre sur le podium. Les larmes aux yeux, il m'a demandé comment je l'avais reconnu. J'étais bien incapable de le lui dire, j'ai répondu : « Je savais, c'est tout. » Je n'ai plus jamais vécu de miracle, si je peux appeler la chose ainsi, mais voici l'impression que j'en garde :

Toute autre explication de ma part serait une re-création de l'événement *a posteriori*, en vue de confiner mon miracle dans les limites du rationnel.

LE MIRACLE DE PAPA

Bien que née au pays des miracles, je n'en connais qu'un survenu dans notre famille. À sa mort, mon père n'avait pas laissé de testament, considérant comme superflu de le faire puisqu'il ne possédait ni biens ni fortune. Sa banque nous prévint qu'il avait sur son compte trois cent mille lires, soit environ mille cinq cents francs, et qu'il avait loué un coffre. Intrigués, nous demandâmes à le faire ouvrir. Les formalités prirent du temps parce qu'aucun document officiel ne confirmait notre statut d'héritiers, que certains d'entre nous étaient nés hors mariage, et qu'il fallut remplir toutes sortes de papiers et obtenir des autorisations spéciales. Une fois abattues les barrières bureaucratiques, le coffre put être ouvert. Il était vide, à l'exception d'un sachet de plastique semblable à ceux dans lesquels on conserve les légumes au réfrigérateur et qui contenait... un mouchoir ! Sale ! Il avait probablement atterri là par mégarde et nous le jetâmes à la poubelle, un peu dépités je l'avoue. Non que nous ayons compté sur des lingots d'or et des cascades de diamants, mais j'avais le secret espoir que mon père aurait laissé une ultime missive pour nous révéler le sens de la vie. Quelques jours passèrent, et soudain, j'eus une révélation à propos du mouchoir. Elle me laissa dans le même état d'effarement que papa quand il avait découvert le miracle que je m'en vais vous conter.

À la fin de sa vie, et après vingt ans passés aux côtés de Sonali, voilà que papa la quitta pour Silvia. L'exubérance de ses sentiments me perturbait, j'étais incapable d'imaginer la folie qui s'emparait de lui. Je ne l'ai comprise qu'en succombant moi-même à la passion, quand, à mon tour, j'ai été confrontée à l'incompréhension de ma famille et de mes amis, aussi troublés par mon comportement que je l'avais été par celui de mon père.

Une nuit, la fameuse nuit du miracle, après bien des larmes et des atermoiements, Silvia en vint à la conclusion que mon père et elle devaient se séparer. Qu'ils ne devaient plus s'abandonner à leur amour total et sans retenue. Amour qui avait pour caractéristique principale de leur brouiller les idées et de les amener à prendre des décisions souvent à l'opposé de leurs désirs véritables. Sanglots, ruptures et réconciliations étaient leur lot quotidien. Mais, cette nuit-là, leurs larmes devaient être d'une nature toute spéciale, car papa, bien qu'il ne s'en doutât pas, allait devenir un miraculé. Il fourra dans sa poche le mouchoir tendu à Silvia pour sécher ses pleurs et l'y oublia. Jusqu'à ce qu'il l'y redécouvrît quelques jours plus tard, en fouillant dans sa poche, alors qu'il portait le même costume. Et, ô miracle, au lieu d'être froissé et durci comme le sont les mouchoirs une fois secs, celui-ci était encore tout morveux et imbibé des larmes de Silvia ! À croire qu'elle les avait versées la seconde précédente.

Convaincu d'avoir été l'objet d'une intervention divine, papa s'interrogea. Impuissant à déchiffrer le message, il décida sans doute de conserver le précieux mouchoir, le rangea dans son coffre et se tint prêt à recevoir d'autres signes du Très-Haut.

LE FRIC

ISABELLA : Papa, de ton vivant, tu n'arrêtais pas de nous dire à nous, tes enfants, d'être fiers de toi et de t'être reconnaissants si jamais tu mourais pauvre, et tu es mort pauvre comme Job. Pas un bien ni une propriété à partager entre tes sept enfants. Rien que mille cinq cents francs et ce mouchoir. Et puis tes dettes, bien sûr. Explique-moi ce qu'il y a de si admirable là-dedans.

Mais papa, en soixante et onze ans d'existence terrestre et vingt ans d'au-delà, ne s'est jamais véritablement exprimé sur ce point. Quand je l'interroge au cours de mes conversations mentales avec lui, il élude le sujet comme pour me signifier : « Si tu n'as toujours pas pigé ce que je rabâche depuis bientôt un siècle, mieux vaut laisser tomber. »

Je me suis adressée à Daniel Toscan du Plantier, un ami de mon père, pour essayer de comprendre. Il m'a dit : « Prends les gens qui meurent sans avoir réussi à dépenser tout leur fric. En général, on dit d'eux qu'ils sont riches. Roberto, au contraire, a dépensé comme s'il avait vécu vingt ans de plus. Je vais t'expliquer. Certaines personnes voient d'un mauvais œil le fait d'avoir des dettes. Et il va de soi que mourir en en laissant est le signe même de la pauvreté. Enfin, la façon communément admise de dire de quelqu'un qu'il est pauvre. Mais, pour un optimiste du calibre de ton père, avoir des dettes était simplement, sur le plan financier, la manière de vivre plus vieux que ses soixante et onze ans. »

Papa avait le don d'amadouer ses banquiers. Il avait aussi l'art de subvertir les lois, y compris celles de la vraisemblance. Son succès le plus éclatant en la matière consista à faire reconnaître mon frère Roberto, que nous appelions Robin ou Robertino, comme étant son fils, né *de mère inconnue*. Performance destinée à contourner la législation italienne. Sinon, maman étant encore mariée à Petter Lindstrom, le bébé aurait été automatiquement considéré comme l'enfant de Petter.

MA MÈRE : Rien n'ennuyait plus ton père que de travailler pour l'argent. Ses films néoréalistes avaient du succès, il aurait pu exploiter ce filon et devenir riche, mais cela ne l'intéressait pas. L'argent, il en avait besoin pour ses expériences au cinéma, car c'était un pionnier. Mais se répéter, ça non ! Jamais !

MON PÈRE : Tu as un toit sur ta tête ?

ISABELLA : Oui.

MON PÈRE : Tu manges à ta faim ?

ISABELLA : Oui.

MON PÈRE : En gros, tu peux subvenir toute seule à tes besoins les plus élémentaires ?

ISABELLA : Oui.

MON PÈRE : Alors de quoi t'inquiètes-tu ? Fais donc ce qui t'intéresse !

Ne parlez pas à papa d'amasser de l'argent ! Pour lui, faire de la richesse le but ultime de sa vie était un crime pour lequel il vous aurait jeté en prison, s'il en avait eu le pouvoir.

MON PÈRE : Il paraît que tu songes à fonder une société de cosmétiques ?

ISABELLA : C'est vrai.

MON PÈRE : Pourquoi ?

ISABELLA : Et pourquoi pas ?

Ce « Pourquoi pas ? », je l'utilise à toutes les sauces, c'est une de mes reparties préférées. Je pense qu'elle peut désarmer l'inquisiteur le plus féroce.

MON PÈRE : Je ne me rappelle pas t'avoir entendue dire que c'était le rêve de ta vie.

ISABELLA : C'est vrai, ça l'est devenu avec les circonstances.

MON PÈRE : Lesquelles ? Faire une croix sur ton gros salaire parce que Lancôme t'a virée ?

ISABELLA : Et que fais-tu de mon désir de changer de voie, de relever le défi, d'assumer de nouvelles responsabilités en devenant mon propre maître ?

MA MÈRE : Tu t'y connais assez ? Tu n'es pas du genre à penser sans cesse à ta beauté, ni à passer ton temps à te peinturlurer. La plupart du temps, tu ne te maquilles même pas...

ISABELLA : On peut dire la même chose de tous les Lindsay Owen-Jones du monde, et c'est vrai de toi aussi, maman. Pourtant, tu en connais un bout sur le sujet, toi qui es comédienne.

Cette réponse, je l'ai volée à Loren Plotkin, mon avocat. Après que Lancôme m'a mise au placard, j'ai reçu un grand nombre de propositions de la part de sociétés de cosmétiques. Une seule m'a tentée : fonder la mienne. Mais, en y réfléchissant, je me suis jugée trop incompétente en matière de maquillage pour me lancer dans l'aventure. Alors Loren m'a fait remarquer :

1. « Les grandes compagnies de cosmétiques sont dirigées par des hommes d'affaires qui ne se maquillent pas, pour autant que je sache. » Ce qui m'a paru tout à fait pertinent.

2. « Tu en sais plus que tu ne crois. Et ce que tu ignores, tu l'apprendras. » Ça non plus, ce n'était pas idiot.

3. « Tu es dans une position unique : mannequin pendant des années, quatorze ans chez Lancôme, des films en Europe et en Amérique. C'est un potentiel qui ne demande qu'à être développé. À toi de découvrir comment. Ne reste pas passive, sinon tu te retrouveras encore une fois victime des circonstances, comme quand Lancôme t'a laissée tomber, ou prisonnière de l'idée reçue qui veut que les femmes ne soient pas des entrepreneurs. » Ce qui n'était pas faux non plus... surtout l'aspect féministe de la question. Qu'on aborde ce sujet et je démarre au quart de tour. Loren sait comment me prendre quand je renâcle devant l'obstacle.

Mais fonder une société, monter une affaire, quelle qu'elle soit, demande de l'assurance, un optimisme incroyable et une certaine dose d'arrogance, qualités que je suis loin de posséder. Pourtant, mes « Pourquoi pas ? » ont eu raison de mes doutes. Ils m'ont permis d'aller de l'avant. « Comment arrivet-on à manger un énorme éléphant ?» m'a demandé ma fille, alors âgée de quatre ans. Devinette qui me laissa perplexe mais dont la réponse, « Petit bout par petit bout », devait me servir de leçon. C'est en adoptant cette méthode que j'ai développé ma ligne de cosmétiques. D'abord, j'ai cessé de répondre aux publicitaires et marques de toutes sortes qui souhaitaient utiliser mon nom ou mon visage. Je voulais réfléchir en paix, construire mon destin au lieu de simplement réagir aux propositions d'autrui. Lentement, l'idéal a pris forme dans mon esprit. Je devais rester dans le circuit international de la beauté, puisque j'avais la chance exceptionnelle d'y avoir fait carrière. Il me fallait aussi trouver un bon laboratoire, car je ne connais rien à la dermatologie, et une bonne réponse à cette question cruciale : Pourquoi lancer sur le marché une énième ligne de cosmétiques ?

MON PÈRE : Oui, pourquoi ? Pour faire du fric ?

ISABELLA : Papa, dis-moi plutôt pourquoi tu ne parlais jamais d'argent à la maison ? Tu ne nous confiais rien de tes projets, de tes affaires, de tes plans de carrière. Silence total sur la question. Tu aurais pourtant dû te douter qu'on n'y comprenait rien, à l'argent, quand Roberto a raconté son histoire du petit garçon pauvre.

L'histoire de Roberto est celle d'un petit garçon pauvre, très pauvre, si pauvre qu'il n'a pas de sous pour s'acheter de quoi manger, ni même des habits pour se vêtir. Si pauvre qu'il n'a pas de toit sur la tête... Alors, il décide de tenter sa chance ailleurs. Il va au garage, monte dans sa Rolls Royce et quitte la ville pour n'y plus revenir.

Moi, je sais ce que signifie l'argent. J'ai fini par comprendre qu'il fallait en gagner, et que ce n'était pas un crime. Et cela, grâce à Frances Grill. J'avais vingt-sept ans passés quand elle m'a donné cette leçon essentielle.

Avant, quand j'avais dans les vingt ans, je ne me posais pas la question d'un métier en termes pécuniaires. Je voulais devenir journaliste. J'aimais cette profession pour son sérieux, son côté émancipé, tout à fait conformes à mon éducation.

Croyez bien que mes parents ne se sont pas gênés pour me donner leur avis au cours de nos conversations imaginaires. Ma mère surtout : « Tu ne vas pas bassiner les gens avec des questions ineptes, j'espère ! » Et tandis que j'interviewais Woody Allen, Clint Eastwood, John Travolta ou Barbra Streisand, maman me hurlait à l'oreille : « Comment peux-tu poser des questions aussi rabâchées ! », si bien que je n'entendais pas un mot de leurs réponses. Bref, c'était insupportable.

Ce pendentif fut dessiné par mon mari Martin Scorsese d'après la photo ci-contre, pour la première du film Le Pré.

Sur le tournage du film Le Pré.

En 1979, j'ai tourné dans *Le Pré* des frères Taviani, mon premier film. Je ne me voyais pas dans la peau d'une actrice, mais quand Paolo et Vittorio m'ont proposé le rôle, je n'ai pas pu résister, ils comptaient parmi mes réalisateurs préférés. Le film a été un échec critique et commercial. Le pire ne fut pas la bouderie du public, les Taviani n'ayant pas la réputation de faire exploser le box-office, ce fut le rejet de l'intelligentsia qui les adulait d'habitude. On dit de moi que j'étais trop *verte* pour jouer la comédie. Pas assez mûre. J'en conclus que j'étais responsable de l'échec du film et j'en fus désespérée, car j'avais une véritable adoration pour Paolo et Vittorio. Ne voulant pas être la cause d'un nouveau désastre, je me promis de ne plus rééditer la tentative. En cette occasion, ma mère s'abstint de tout conseil, elle ne me suggéra ni de poursuivre cette carrière, ni de l'abandonner définitivement. Elle se contenta de me dire : « Tu as eu raison de faire ce film.» Je compris qu'elle m'approuvait de m'être lancée dans l'aventure avec des gens aussi talentueux que les frères Taviani, sachant combien j'avais eu peur de la responsabilité qui allait m'incomber et des réactions de la presse, qui n'est jamais tendre pour les acteurs de seconde génération. Je compris que son bref commentaire était un hommage à la rigueur artistique de mes deux metteurs en scène. Rigueur présente dans ce film, même s'il a été moins bien accueilli que les autres et si j'y ai brillé par mon manque d'expérience.

À cette époque, je n'étais heureuse et bien dans ma peau qu'en faisant mon émission hebdomadaire pour la télévision italienne. S'y produisait toute une brochette de comiques fabuleux : Renzo Arbore, Roberto Benigni et bien d'autres encore. Ma mère, qui vivait à Londres, n'en a vu aucune. Mon père a eu le temps de voir celles de la première année avant de mourir, et il m'a encouragée à poursuivre. J'ai suivi son conseil. Ce show, qui avait pour nom *L'Altra Domenica*, a été un succès sur les ailes duquel, au bout de trois ans, tout le monde s'est envolé, chacun dans sa direction. Les uns sont restés à la télé pour animer d'autres soirées, les autres ont donné des spectacles ou fait du cinéma. Mouton de nature, je me suis sentie perdue sans mon troupeau, je ne savais quelle voie suivre.

C'est alors qu'on m'a proposé de devenir mannequin. Tout a commencé avec la propriétaire de l'agence Click, ma vieille amie Frances Grill, celle qui devait me faire comprendre l'importance de l'argent. Elle m'a présentée à Bruce Weber, qui a voulu me photographier. J'ai accepté, me disant que j'achèterais plein de numéros du journal pour montrer les photos à mes petits-enfants quand je serais vieille, et j'imaginais déjà leur étonnement, le même que le mien en découvrant que la jeune fille du début du siècle sur la photo de famille n'était autre que ma grand-mère Elettra, une vieille dame que j'avais toujours connue aveugle et boitillante.

Une autre chance a bientôt suivi : j'ai fait la connaissance de Bill King. C'est Frances qui m'a suppliée de le rencontrer, par amitié pour elle. Elle souhaitait par ce biais faire connaître ses nouveaux projets : le département hommes de son agence marchait bien, elle voulait développer à présent le département femmes, potentiellement plus lucratif. J'ai accepté, pour lui faire plaisir. Bill m'a sélectionnée et je me suis retrouvée en couverture du *Vogue* américain. À partir de ce moment-là, ma carrière a décollé.

Frances m'a avoué plus tard qu'elle m'avait tendu un piège en me faisant croire que ma visite au studio de Bill lui rendait service. Convaincue de mon succès, elle s'était bien gardée de me faire part de ses certitudes, se doutant que je l'aurais traitée de dangereuse mégalomane et que j'aurais refusé tout net de prendre quelques jours de congé à la télévision pour faire les photos. Je ne lui serai jamais assez reconnaissante de ses mensonges.

Lorsque *Vogue* est sorti, Frances m'a expliqué qu'une chance fabuleuse s'offrait à moi.

On m'avait déjà posé la question taboue : « Comment as-tu l'intention de gagner ta vie ? » Frances, cependant, a été la première personne dont j'aie écouté le conseil. Jusque-là, je m'étais seulement demandé quel métier me permettrait de mener une existence passionnante en étant payée de surcroît. La télévision italienne étant alors exclusivement régie par l'État, je touchais pour mon émission un salaire de fonctionnaire, et l'on sait qu'en général les fonctionnaires sont payés des clopinettes. Devenir mannequin signifiait gagner beaucoup d'argent. Très vite, j'ai tellement aimé ce métier que je l'aurais exercé pour un salaire bien moindre.

« Surtout, ne va pas le crier sur les toits ! » me recommanda Frances. Je suis donc restée bouche cousue. Je gardais si bien le silence qu'à la fin de la journée, j'oubliais exprès de faire signer mes feuilles de paie par les clients, comme le veut la pratique. Catalogue : 5 000 dollars, demi-journée d'essayage : 3 500 dollars, défilé : 15 000 dollars. Des sommes astronomiques ! Que je craignais toujours d'avoir mal comprises. Et j'étais terrorisée à l'idée de m'entendre dire, quand je présenterais la feuille : « Vous êtes folle ? Vous croyez qu'on peut gagner 15 000 dollars par jour rien qu'en faisant trois pas avec une robe sur le dos ? » Ou pire : « Est-ce que vous vous rendez compte que bien des gens qui travaillent dur ne gagnent pas autant en toute une année ? »

Réflexion que j'appréhendais par-dessus tout, les discours que mon père me tenait d'outre-tombe me suffisant amplement. J'ai demandé à Frances de me faire savoir le montant de mes gains à la fin de chaque mois et je m'en suis tenue là. Avoir un gros revenu me donnait l'impression d'être adulte.

MON PÈRE : Pardon ? J'ai bien entendu ? Tu as bien dit : Avoir un gros revenu me donnait l'impression d'être adulte ?

ISABELLA : Oui, j'ai dit ça. J'ai fini par me sentir vraiment indépendante.

MON PÈRE : Comme si l'argent était la mesure de l'indépendance ! C'est grotesque.

MA MÈRE : Mais c'est le cas. Pour les femmes, du moins. Le bon côté de l'argent, c'est justement qu'il permet de s'acheter un peu d'indépendance. Pas d'acquérir des couverts en argent, de se faire construire une piscine ou de s'offrir une villa. Ces choses-là, et je parle en connaissance de cause, dès que tu les possèdes, tu passes la moitié de ton temps à les nettoyer et à veiller sur elles. Et ça, c'est une perte de temps, c'est très ennuyeux. À la fin de ma vie, je me suis débarrassée de tout ce que je possédais pour vivre selon mes goûts, et non plus selon mes moyens.

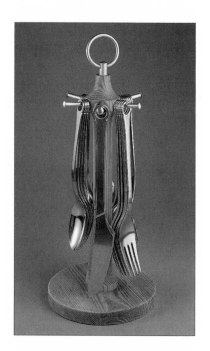

*Le tourniquet
à couverts de
maman, symbole
de sa conception
de la vie.*

66

Ce que ma mère aimait, c'était son appartement de Chelsea, deux chambres, un salon et une petite salle à manger ouvrant sur la cuisine. Et, surtout, plein d'espace pour conserver, propres et bien rangées, toutes les choses qu'elle aimait.

MA MÈRE : Je ne vis comme une millionnaire qu'en ce qui concerne les notes de téléphone. Je veux me sentir libre d'appeler mes amis n'importe où dans le monde et de leur parler aussi longtemps que je le souhaite. Et aussi, j'aime voyager en première classe en avion.

Pour ses transports quotidiens, autobus et taxi suffisaient. Son argenterie se réduisait à quelques couteaux, cuillères et fourchettes suspendus à un tourniquet. Je le conserve, même s'il a perdu la plupart de ses couverts, parce qu'il me rappelle sa philosophie de la vie. Oui, mon style prend sa source dans les convictions de ma mère.

MA PENDERIE

J'ai constitué ma garde-robe sur le principe du tourniquet à couverts. Avant que je devienne mannequin, elle débordait de T-shirts, de jeans, de vieilleries héritées de ma mère ou de ma sœur Pia et de toutes sortes de choses que j'aimais au moment de les acheter, mais qui n'allaient jamais ensemble. Or, mon nouveau métier m'obligeant à me rendre à de nombreuses soirées, je tenais à honorer la profession par mon élégance. Il me fallait des vêtements faciles à porter, pour ne pas encombrer ma penderie avec des tenues qui ne feraient que ramasser la poussière. Et surtout, je ne voulais pas avoir à me demander chaque matin ce que j'allais me mettre sur le dos. Je souhaitais pouvoir attraper jupe ou pantalon, chemisier ou chandail, aussi aisément qu'un jean et un T-shirt. Bref, il s'agissait d'être chic en évitant tout effort superflu. J'ignorais que la réunion d'objectifs qui avaient pour unique origine ma paresse formerait un style reconnu comme étant le mien.

Ce dernier a pris forme dans mon esprit un soir que je dînais chez Lindsay Owen-Jones, dont j'ai déjà parlé dans ces pages. C'est le grand patron de L'Oréal Cosmair, l'une des premières compagnies mondiales de produits cosmétiques. Me rendant à la salle de bains, je traverse le vestiaire de Lindsay. La porte d'un des placards est mal refermée, je glisse un œil à l'intérieur. Et que vois-je ? Une rangée de costumes parfaitement identiques, qui ne diffèrent que par la nuance du gris et par la matière, laine, coton, cachemire plus ou moins épais. Idem pour les chaussures : une rangée de paires jumelles. Ç'a été une révélation. Voilà ce que j'allais faire : copier l'armoire de Lindsay.

J'ai commencé par acheter des costumes d'homme. Gris, comme les siens. Puis j'y ai ajouté des noirs, des beiges et des blancs. Mais les blancs étaient trop salissants. J'ai tâté aux costumes marine et bruns, mais j'ai vite abandonné, parce qu'il fallait acheter aussi des souliers assortis et que cela encombrait ma penderie. Cette dernière a la taille qu'elle a et je n'ai pas envie de l'agrandir.

Toutes mes chaussures sans exception sont noires, bottes ou sandales, mocassins ou souliers à talons, dont j'ai toute une série de hauteurs différentes, mais les talons aiguilles me font mal aux pieds. En revanche, mes tennis sont blanches. Je me suis donné un mal de chien pour dénicher des chaussures plates qui aient l'air de chaussures d'homme, sans trouver un seul modèle qui me plaise. Jusqu'à ce que l'idée de me fournir au rayon homme me traverse le cerveau. Je me demande encore pourquoi elle ne m'était pas venue plus tôt.

Barbara Dente, une amie styliste qui m'entendait me plaindre de ne pouvoir remplacer mes pantalons noirs Zoran, m'a donné un excellent truc : « Quand tu trouves quelque chose que tu aimes, prends-en trois ou quatre exemplaires. » Cette logique simplissime ne m'avait pas davantage effleuré l'esprit.

Quant à mes chemisiers, ils sont systématiquement blancs. J'aime ceux d'Agnès B., simples et sans chichis. Mes T-shirts préférés viennent de chez Fruit of the Loom (taille 38-40). Je les choisis à col rond, surtout pas en V.

Ce qui continue à me manquer : 1. des dessous blancs, en coton et confortables ; 2. les chaussettes idéales – qui ne soient ni trop épaisses, ni trop fines, ni trop longues, ni trop courtes, et qui ne se mettent pas en boule aux doigts de pieds dès que l'on accélère le pas.

Les soutiens-gorge aussi peuvent poser problème, mais Dolce & Gabbana semblent avoir résolu le mien. Voyez-vous, je n'ai jamais aimé les soutiens-gorge, mais après deux enfants... je ne vais pas entrer dans les détails. Donc, je détestais les soutiens-gorge. Jusqu'à ce que Dolce & Gabbana sortent ce vaste machin en satin noir brillant, celui qu'affectionnent les veuves siciliennes et qu'Anna Magnani a immortalisé sous sa combinaison dans un film néoréaliste italien. Cet article symbolise mon appartenance ethnique. J'ai le sentiment de le mettre non par nécessité, mais pour affirmer mon identité nationale. Mon soutien-gorge noir sicilien est pour moi ce qu'est la coiffure afro pour Angela Davis.

C'est cela, l'art des grands créateurs : d'une triste obligation, ils font un style, une proclamation esthétique.

Attention ! Je viens encore de vous mentir. J'ai écrit : « Je n'ai jamais aimé porter de soutien-gorge, mais après deux enfants... » Or, je n'en ai eu qu'un. Roberto, mon fils, est adopté, de sorte que je ne l'ai pas nourri. Mais j'aime l'emphase de ma déclaration. Elle sous-entend qu'il a fallu deux enfants pour venir à bout de ma poitrine. Ainsi présenté, mon aveu prend de l'éclat, il donne à penser qu'une double dose était nécessaire pour entacher ma beauté. Une petite phrase comme celle-là caresse ma vanité dans le sens du poil.

MAQUILLAGE

Quand je travaillais pour Lancôme, mon contrat stipulait que je devais être maquillée quand je sortais. Avant, je ne portais aucun maquillage, même du temps où je travaillais à la télévision italienne. Comme je dirigeais les petits films dans lesquels je jouais, c'est moi qui décidais. J'étais mon propre patron, comme on dit. Mon absence de fard n'était pas une décision délibérée, je n'en mettais pas, voilà tout, et personne ne s'en formalisait.

Du moment où j'ai été engagée par Lancôme, j'ai dû changer mes habitudes. Je me suis maquillée pour assister aux premières, aux galas, aux soirées, et pour les interviews à la télévision. Puis je me suis mise à porter du rouge à lèvres dans la vie de tous les jours. Je l'ai choisi rouge, brillant et voyant, comme ça, pas de risque qu'on m'accuse de ne pas remplir mon contrat. J'ai essayé une couleur plus discrète, rose ou beige, mais j'ai craint que cela ne se voie pas assez et que la rumeur se propage qu'Isabella ne se maquillait pas. Ce que Lancôme n'aurait pas apprécié.

Le fait que quelqu'un qui ne se maquille pas devienne l'incarnation d'une grande marque de produits de beauté prouve que la réalité dépasse parfois la fiction. Néanmoins, avec le temps, je me suis mise à aimer cet instrument de travail qu'est pour moi le maquillage, tant dans mon métier d'actrice que dans celui de mannequin. C'est un masque qui me permet d'être libre de mes expressions et de mes sentiments.

Quand j'ai joué la Dorothy Vallens de *Blue Velvet*, je devais avoir les ongles rouges même le dimanche, pendant les répétitions. Ne voyant évidemment pas mon visage, je n'éprouvais pas le besoin d'être maquillée, alors que mes ongles incolores, que je risquais d'apercevoir en bougeant la main, m'auraient perturbée et fait sortir du personnage. Le rouge de mes ongles m'aidait à garder mes distances avec la femme que je jouais. Il me donnait de l'imagination. Grâce à lui, je me sentais quelqu'un d'autre, je comprenais que je faisais semblant. Gêne et timidité n'avaient plus prise sur moi et je pouvais me concentrer sur les scènes osées. Il en va de même avec les séances de photos. Pour les poses *glamour*, même s'il s'agit d'un gros plan, j'aime être habillée de pied en cap. Porter des talons hauts, l'une des choses que je déteste le plus dans la vie, change la façon dont l'on se perçoit. Cela modifie le maintien. Et c'est le premier pas pour se sentir quelqu'un d'autre. Laissez-vous aller : les attitudes, l'humeur, les gestes vont venir naturellement. Partant des pieds, ce sentiment remontera jusqu'à la tête et métamorphosera votre expression tout entière.

GLAMOUR ET PAPARAZZI

Quand j'étais petite, ma sœur Pia incarnait pour moi le summum du *glamour*. Elle est venue nous voir en Italie à l'âge de dix-huit ans. Nous ne l'avions encore jamais rencontrée. Elle, elle n'avait pas revu maman depuis huit ans. À cause du *scandale*, vous vous rappelez ? quand maman est tombée amoureuse de papa alors qu'elle était encore mariée au père de Pia. On aurait cru que c'était l'événement le plus important de toute l'année 1949. Les journaux en ont fait leurs gros titres pendant des mois, et après, des années durant, la maison a été en état de siège. Les photographes pointaient leurs téléobjectifs sur nous du matin au soir et du soir au matin, épiant les faits et gestes de toute la famille. Nous, les enfants, nous comptions encore notre âge sur les doigts d'une seule main que nous nous étions déjà organisés en bande et avions déclaré la guerre aux *paparazzi*. Armés de pierres, de briques et de frondes, nous leur tendions des embuscades, au grand mécontentement de ma mère qui redoutait un esclandre. Quand Pia arriva, les forces ennemies triplèrent.

Pia et maman.

Elle était blonde et grande, elle portait des shorts et du vernis à ongles, elle mettait du rouge à lèvres brillant, elle débordait de vie et de couleurs ; elle riait et souriait tout le temps, elle s'asseyait bizarrement sur le canapé. Moi, je ne devais pas croiser les jambes mais les garder serrées, les mains sur les genoux. Elle, elle ramenait un pied sous ses fesses, croisait les jambes comme un chef indien, ou bien se pelotonnait en boule, le menton sur les genoux. Je n'en croyais pas mes yeux.

Pour la copier, notre bande prit pour mot de passe *Yes*, *of course !* que Pia ne cessait de répéter. Comme nous n'avions pas la moindre idée de ce que cela signifiait, ça nous paraissait génial.

À l'âge de sept ou huit ans, je m'étais promis d'être un homme, plus tard. Rien de ce qui faisait la vie des femmes ne m'attirait ; je n'avais pas encore rencontré Pia, la première à qui j'eus envie de ressembler. Les hommes, eux, me paraissaient libres de s'amuser tout le temps. Comme Roberto, par exemple, que papa fit sortir de l'école le jour où les Soviétiques envoyèrent un homme dans l'espace. Transporté, mon père s'était précipité pour annoncer l'événement et avait ramené Roberto à la maison, ne concevant pas de repartir sans lui. Tandis qu'il nous avait laissées en classe, Ingrid et moi. Parce qu'on était des filles ! Fureur et rage, voilà ce que j'avais éprouvé. Je ne l'avais pas pardonné à papa et j'avais décidé que, non, je ne serais pas une fille.

Quand sonnèrent mes douze ans, mes hormones se chargèrent de contrecarrer ma détermination. Deux petites bosses apparurent sur mon torse, qui me faisaient mal si je les cognais en me battant avec Orlando, le fils d'Argenide, notre bonne et seconde maman. Puis, j'eus mes règles. On m'interdit d'aller nager ces jours-là, de rester au soleil, on me dit même de m'éloigner du vin, pour ne pas le faire tourner en vinaigre. La condition de femme me devint une prison. « Maintenant que tu es une *signorina* – je détestais ce mot –, tu ne peux plus jouer à des jeux violents. Tu dois te tenir droite quand tu es assise, avoir de la retenue et te méfier des hommes. » Cette dernière recommandation était immanquablement suivie d'une longue pause et d'un regard intense qui me faisait augurer des pires horreurs. Rien de plus n'était dit.

C'est à cette époque que Pia débarqua des États-Unis pour passer quelque temps auprès de nous. Elle n'aurait pu choisir meilleur moment. Quand je me plaignais de crampes au ventre, elle me faisait monter à cheval, le truc idéal, selon elle, pour calmer les douleurs menstruelles. Et elle m'emmenait nager tous les jours du mois. La seule idée que je pouvais faire tourner le vin la faisait mourir de rire.

À dix-huit ans, ayant perdu tout espoir de jamais devenir un garçon, je suis allée vivre en Amérique avec Pia. Elle travaillait comme reporter pour une chaîne de télévision. De nouveau, je l'ai prise comme modèle. Et quand j'ai fait des reportages à New York pour mon émission italienne, je les ai montés comme elle m'avait appris à le faire.

Quelques années plus tard, en Italie, j'ai vu une drôle de fille à la télévision. Sexy, hilare, brouillonne, elle parlait suspendue à un lampadaire ou en tournoyant tout autour. « Regarde, elle imite ton style », me dit en riant l'amie avec qui j'étais. Ça, du style, et ce serait le mien ? Cette malheureuse me paraissait le comble du ridicule. « Mais oui, rétorqua mon amie, elle filme dans la rue, au lieu de rester vissée sur sa chaise, et elle s'exprime comme tout le monde. » Le côté *comme dans la vie*, les tournages en extérieur, tout cela, je l'avais appris de Pia. Sans avoir conscience de lancer une mode. Mon émission devint si populaire à la télévision italienne que j'héritai des *paparazzi* de maman. Ils se mirent à me suivre partout. Certains étaient les mêmes que quand j'étais petite. Plus tard, quand j'ai emmené mes enfants, nés aux États-Unis, faire connaissance avec leur famille italienne, ils avaient les larmes aux yeux en nous photographiant. Ils m'ont serrée dans leurs bras et ont embrassé les bébés. Ils avaient conscience de me casser les pieds, à me suivre comme des petits chiens – c'est à cause d'eux que mes enfants ne veulent plus aller en Italie pour les vacances. En guise d'excuse, ils m'ont dit : « Avec tous les enlèvements qui ont lieu ici, vous ne devriez pas vous énerver, mais nous considérer comme une protection rapprochée. Tant qu'on ne vous lâchera pas d'une semelle, personne n'osera s'approcher de vous, même pour commettre un *scippo*. » (Ce sont les vols à l'arraché, très fréquents en Italie.) Vu sous cet angle, ils n'avaient pas tort.

ACTRICE OU MANNEQUIN,
LE CONSEIL DE MAMAN

Ce doit être ma prédilection pour le mensonge qui me donne l'envie d'être comédienne. Tout comme celle d'être mannequin, d'ailleurs. Au risque de me répéter, j'affirme, une fois encore, que ces deux métiers ne sont pas très différents.

Je vous entends déjà me dire : « C'est peut-être que tu ne sais pas jouer la comédie, chérie, et que tu te sers de ton joli minois pour te frayer un chemin dans une profession où ta mère excellait. »

À vous que Gary me conseille d'envoyer promener avec la plus petite prière du monde, je rétorquerai que ces deux professions sont encore plus proches aujourd'hui, quand on voit comment a évolué l'art du comédien. Je ne parle pas de ceux qui montent sur les planches, mais des acteurs de cinéma et de télévision. Pour affronter l'œil révélateur de la caméra, il faut du charme, de la présence et de la photogénie, qualités qu'on exige tout autant des *top models*.

Sur la photo, le mannequin n'a pas d'histoire à raconter, il n'a pas de réplique à dire ; il n'est pas censé montrer l'évolution d'une émotion et n'a pas en face de lui de partenaire avec qui établir une relation. À cause de tout cela, ce métier est moins bien considéré que celui d'actrice. Mais, pour ces mêmes raisons, il semble receler un plus grand mystère. Une photo de talent doit embrasser toute la réalité en une seule image, sans le soutien d'une histoire, de dialogues, ou d'un accompagnement musical.

Maman ne m'a donné qu'un seul conseil en matière d'art dramatique : « Ne fais rien. Mieux vaut ne rien jouer du tout que de jouer mal ou à contretemps. On pourra toujours rajouter des violons s'il faut donner de la chair à ton personnage. »

J'ai lu dans une de ses interviews qu'elle a employé ce truc sur *Casablanca*, dans les gros plans au café, quand elle revoit Rick après des années. Comme le script était réécrit pendant le tournage et qu'elle ne savait pas bien si l'héroïne était amoureuse de Rick, que jouait Humphrey Bogart, ou de Laszlo, interprété par Paul Henreid, elle s'est composé une expression impassible, comptant qu'on rajouterait des violons au mixage. Moi, le métier de mannequin m'a ouvert les portes du cinéma, et c'est encore ce savoir-faire qui nourrit mes interprétations.

L'ART DU MANNEQUIN
APPLIQUÉ À LA COMÉDIE

L'art du mannequin consiste à choisir le geste juste. Celui qui, sur la photo, résumera une atmosphère, une émotion. Cette faculté est propre à tous les « faiseurs d'images », catégorie dans laquelle je range aussi bien les modèles que les peintres et les photographes.

Par exemple, pour m'expliquer le sentiment qu'il voulait donner à la scène de *Blue Velvet* où je marche sans vêtements dans une petite ville du fin fond de l'Amérique, le réalisateur David Lynch m'a raconté qu'un jour, en rentrant de l'école avec son frère, il avait vu une femme nue dans la rue. Loin de les exciter, cette vision les avait terrifiés au point que David en avait fondu en larmes. Ayant un esprit de mannequin, je me suis tout de suite rappelé la photo de Nick Ut représentant une petite Vietnamienne toute nue, la peau en lambeaux, qui dévale une route après qu'une bombe au napalm a rasé son village. Son air affolé, perdu, obscène, terrifiant m'a paru correspondre à ce que recherchait David.

J'aurais aimé trouver une autre approche pour cette scène, j'en ai vainement cherché une autre jusqu'à la dernière minute. La perspective de tourner nue m'angoissait. J'appréhendais les réactions de la famille quand elle verrait le film. Et aussi, je n'aimais pas que la foule se soit agglutinée autour du plateau pour assister au tournage.

Les gens avaient amené grands-mères et enfants, couvertures et paniers de pique-nique. J'ai supplié l'assistant

*La photo terrifiante de Nick Ut dont je me suis
inspirée pour une scène de* Blue Velvet.

réalisateur de leur expliquer que la scène était difficile, que
je serais toute nue, mais ils n'ont pas voulu partir. Je me suis
avancée à mon tour pour les en prier personnellement. Ils
s'étaient déjà transformés en public et n'ont pas réagi.

Et le moment est venu de tourner. D'une voix forte, je
me suis excusée de la gêne que j'allais leur causer. Puis je me
suis concentrée. Je me suis dit : « Tu la joues, un point c'est
tout ! » Quand on demandait à ma mère comment elle pro-
cédait, au cinéma et au théâtre, pour se rappeler des textes
parfois interminables, elle répondait toujours : « En oubliant
tout le reste. » Elle avait raison : se mettre totalement dans
ce qu'il fait, s'immerger dans son personnage, voilà le travail
de l'acteur. Maman appliquait cette méthode dans la vie, elle

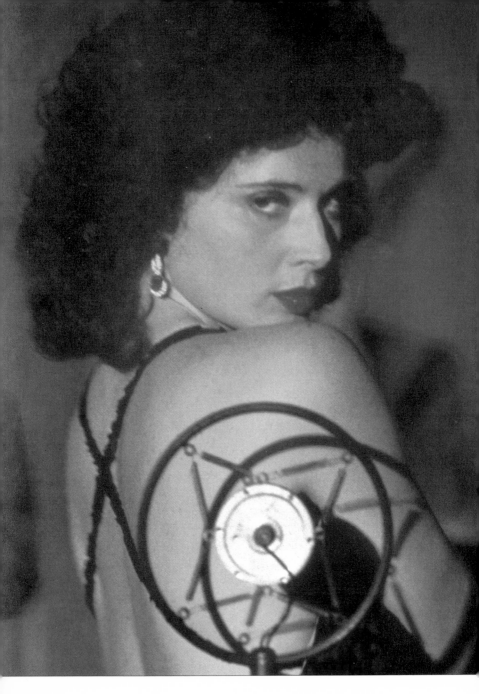

Moi en Dorothy Vallens dans Blue Velvet.

y voyait la recette du bonheur, et c'est pourquoi sans doute elle aimait tellement jouer. Lorsqu'on a commencé à tourner, j'ai réagi au jeu de mes partenaires et aux indications de David, je n'ai rien vu de ce qui se passait alentour. Quand on a crié : « Coupez, elle est bonne ! » et que quelqu'un m'a enveloppée dans une robe de chambre, mon attention s'est enfin ouverte au reste du monde. Du public, il ne restait personne.

Le lendemain, la police de Wilmington, en Caroline du Nord, nous a signifié que les tournages en extérieur nous étaient désormais interdits.

Pour jouer la Perdita Durango de *Sailor et Lula*, je me suis servie d'autres impressions que j'avais en mémoire, je me suis rappelé Frida Kahlo et ses autoportraits obsessionnels.

Frida Kahlo s'est représentée de façon attirante et répugnante à la fois : belle, féminine mais un peu simiesque, avec de la moustache et un énorme sourcil qui lui barre tout le front. Ce mélange d'attrait et de répulsion m'avait fascinée, et j'avais dit à David que j'aimerais bien jouer un personnage semblable. Il s'en est souvenu quelques années plus tard et m'a proposé de tenir le petit rôle de Perdita.

Je me suis affublée d'une perruque très moche, blonde avec des racines noires. J'ai mis une robe moulante, trop sexy, vulgaire. J'ai modifié ma gestuelle, j'ai rajouté des poils entre mes sourcils, de façon à n'en avoir plus qu'un gros en travers du front. Je crois que ma Perdita donne cette impression d'être en même temps quelqu'un d'attirant et de repoussant. David et moi avons créé ce personnage ensemble. Il n'apparaît qu'une ou deux fois dans le film, mais il montre bien la façon dont j'applique mon savoir-faire de mannequin à la conception d'un rôle.

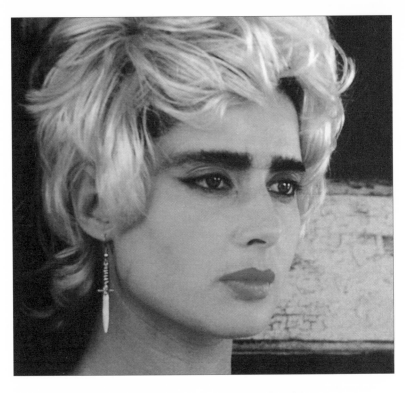

Dans Sailor et Lula, *je me suis inspirée de Frida Kahlo pour construire le physique de mon personnage.*

LA MACHINE À RADIOGRAPHIER LES CERVEAUX

Il existe un autoportrait de Frida Kahlo où elle a également représenté son mari, Diego Rivera. Dans une vignette au milieu de son front, là où est censé se trouver le troisième œil. C'est ainsi que je m'imagine la machine à radiographier les pensées.

Si elle existait, on verrait que nous avons tous les mêmes images dans la tête. Est-ce cela, l'inconscient collectif ? Une somme d'images dont chacune exprimerait la quintessence d'un événement et aurait une portée universelle ?

Quand j'ai travaillé avec le photographe Steven Meisel, nous avons fait appel aux images que notre cerveau archive mystérieusement. Les films de Marlène Dietrich, nous les avons condensés en un ou deux plans, un geste, un sourcil, une ombre sur le visage. Les films d'Anna Magnani se sont réduits à un rire, une masse de cheveux, une main sur le visage qui expriment toute la souffrance du monde. Ceux de Sophia Loren se sont résumés à sa démarche, que j'aime et que j'ai imitée dans mes défilés, à ses fesses moulées dans la jupe, et à ses seins, dont elle est si fière que ça se voit dans ses yeux. Une fois, avec la participation de mon cousin Franco (voir la photo), nous avons réinventé des photos célèbres prises par des *paparazzi* au temps du boom économique, dans l'Italie de l'après-guerre. C'était l'époque de la *dolce vita*, comme on dit en reprenant le titre du film de Fellini.

Voici quelques photos que j'ai faites avec Steven en puisant dans nos archives mentales·

Ces portraits de Marlène Dietrich ont inspiré...

... cette pose pour un catalogue Donna Karan.

Anna Magnani. « Ce rire est l'apanage exclusif des Italiens.

C'est ce que les Italiens ont donné au monde. » (Diana Vreeland.)

Maria Callas…

... et moi.

Campagne Dolce & Gabbana, *inspirée par des photos*

de paparazzi. *(Mon cousin Franco pose avec moi.)*

L'ART DE LA COMÉDIE APPLIQUÉ
AU MÉTIER DE MANNEQUIN

De même, mon expérience d'actrice m'a servi dans mon métier de mannequin. Quand j'ai travaillé avec Richard Avedon, notamment. Il a fait appel à moi peu après mon apparition en couverture du *Vogue* américain. Dick est plus qu'un des fondateurs de la photo de mode, c'est un maître. Il m'a appris ce que le mannequin apportait à la photo : son interprétation.

Par là, j'entends : laisser un sentiment précis émerger du plus profond de soi, étouffer tous les autres, jaillir à l'extérieur et modifier votre expression et votre attitude physique. « Pense à autre chose. Je n'aime pas ce que tu as dans la tête en ce moment », me disait-il souvent, et c'est vrai qu'il voyait à l'intérieur de moi. Une fois, pour le piéger, j'ai obéi, puis je suis revenue à ma pensée de départ. Il s'en est aperçu aussitôt. « Je t'ai dit de changer d'idée. Pense à autre chose ! »

Des années plus tard, à l'occasion de son soixante-dixième anniversaire, je lui ai envoyé une vidéo où je lui disais, face à la caméra : « Dick, regarde-moi. » Mon texte s'arrêtait là, mais dans ma tête, je me suis mise à penser très fort : « Bon et heureux anniversaire, maestro ! » Quelques jours après, il m'a téléphoné pour me dire combien mes vœux l'avaient touché.

À l'inverse des photographes qui mitraillent un nombre hallucinant de photos à la minute avec leurs appareils automatiques, Avedon ne prend que quelques clichés. Une fois le vêtement passé, la dernière touche apportée au maquillage et à la coiffure, la lumière réglée, il reste debout près de l'appareil à vous fixer avec bienveillance, attendant l'expression qui l'intéressera. Il note le moindre changement de votre visage, l'approuve d'un sourire, d'un « Oh ! », ou bien le rejette d'un pincement des lèvres, pour signifier : « Non, pas comme ça... » C'est ainsi qu'il dirige.

J'ai développé une sorte de sixième sens. Si j'entends le déclic de l'appareil au moment où mon expression est la plus intense, où mon cerveau a su faire prévaloir sur tous les autres le sentiment que je lui ai ordonné d'éprouver, je sais que je suis photographiée par un bon photographe. Un mauvais photographe ne m'observera pas avec une attention suffisante et laissera échapper l'instant, parce que les détails infimes ne l'intéresseront pas. Je me souviens qu'en redressant un col en soie qui ne cessait de glisser, Avedon m'a chuchoté un jour à l'oreille : « Excuse-moi, Isabella, je te demande de la patience. Dis-toi que Dieu est dans le détail... » Par cette phrase, il m'a insufflé l'endurance qui me manquait et j'ai pu supporter sans rechigner que l'on m'applique du rouge à lèvres pendant vingt minutes. Entre la coiffure, le maquillage, les vêtements et les accessoires, il faut bien deux heures et demie ou trois heures de préparation avant le début de la séance.

« Dieu est dans le détail... » m'aide aussi à ne pas me moquer des choses qui peuvent sembler ridicules. Comme balayer le sable du désert pour tourner une pub Lancôme, avec Herb Ritts, de crainte que les craquelures du sol n'évoquent une peau sèche ou des rides. Décision dont je n'ai pas encore résolu si elle méritait le respect ou un simple fou rire.

Quand il fait un atelier de photographie, Avedon commence toujours sa leçon par une mise en situation incroyablement significative. Le public attend dans la pénombre que les projecteurs s'allument et que Dick fasse son entrée. Jusque-là, rien de très spécial. Mais, dès qu'Avedon est en place, il demande que l'on tourne les lumières vers la salle et déclare, non sans emphase : « Maintenant, c'est moi qui vous vois ! » Voir, c'est le propre du photographe.

Comme tout mannequin qui se respecte, je ne demande jamais à mon agent le nom du créateur dont je vais présenter les vêtements. En revanche, je tiens à savoir qui me photographiera. Un bon photographe est l'élément essentiel, qui garantit le résultat. Comme le metteur en scène pour un film.

Plusieurs raisons expliquent le succès de ma campagne Lancôme, mais l'une d'elles est que mon contrat me donnait un droit de regard sur le choix de mes photographes et que j'ai veillé à ne travailler qu'avec ceux qui avaient *l'œil*, quitte à recommander les jeunes talents que je découvrais lors de prises de vue pour des magazines. Si la campagne a été si bien accueillie, c'est parce que chaleur et sentiments se dégageaient des photos. Nous n'avons jamais cherché à photographier la beauté pour elle-même. Comme disait Diana Vreeland : « Sans émotion, il n'y a pas de beauté. »

La beauté est une donnée indispensable pour la photo de mode et de cosmétiques, mais elle ne suffit pas à faire un bon mannequin. Si je n'avais pas été belle – plus exactement, si j'avais été dépourvue des traits qu'il est convenu de juger beaux, des lèvres pleines, de grands yeux, un corps long et mince, etc. –, je n'aurais pas été engagée. C'est un fait. Maquilleurs, coiffeurs, stylistes, photographes ne font jamais que porter à son maximum un potentiel qui existe déjà. Comme je l'ai dit dans mon discours aux funérailles de Bill King : « Cinquante pour cent de ma beauté me viennent de ma mère, à qui je ressemble, les cinquante autres de Bill. » Mon devoir de mannequin, cependant, n'est pas d'atteindre la perfection physique, mais d'offrir des émotions. N'importe qui est capable de photographier une fille superbe, mais sans émotion, n'importe laquelle, la photo ne touchera pas le public, elle n'interpellera pas celui qui la regarde, elle n'aura pas de mystère, elle ne libérera pas l'imagination. Le métier de mannequin, comme celui de comédienne, requiert du talent. Néanmoins, une photo réussie, pour une campagne de publicité comme pour un magazine, reste davantage le fait du photographe que celui du mannequin, j'en suis convaincue.

Photo prise le jour où j'ai compris que je devais
présenter à l'objectif autre chose qu'une jolie figure.

ENCORE UN MENSONGE, *MEA CULPA*

Vous savez que je viens encore de mentir ? Quand j'ai écrit qu'Avedon avait décrypté mes vœux télépathiques dans la vidéo où je lui souhaitais un bon anniversaire. En fait, mon message n'était qu'un parmi tous ceux qu'amis et relations avaient spécialement enregistrés à son intention, de sorte qu'il ne lui était pas difficile de deviner ce que je lui disais. Mais avouez que vous n'avez pu retenir un « Oh ! » quand je vous ai dit qu'il avait lu dans mes pensées ! Vous savez comment je sais ça ? Parce que j'ai eu exactement la même réaction quand Avedon m'a fait comprendre que je devais me concentrer et laisser jaillir mes sentiments, au lieu de me contenter d'être belle. J'ai fait « Oh ! » moi aussi, et c'est là que je suis devenue mannequin.

C'est pour ça que les mensonges sont quelquefois si positifs. Mentir est la seule technique dont je dispose pour exprimer, non point la vérité des faits, mais celle de l'émotion. Autre raison pour laquelle j'y prends plaisir.

ELLE EST BELLE

Quand on fait des photos de mode, le but est toujours le même : capter l'élégance, le *glamour*, la séduction. Par ces mots, les photographes entendent chacun quelque chose de différent et c'est cette différence qui m'intéresse. Tous ont une façon bien à eux de photographier mon visage, d'en souligner des traits précis. Certains aiment son côté rond ; d'autres préfèrent estomper mes joues et me photographient de trois quarts. Les uns veulent que je sourie, les autres pas. Il y a ceux qui cherchent à faire ressortir mon côté italien, ce qu'il y a de sombre, de chaud et d'extraverti en moi, et ceux qui sont sensibles à mon côté suédois, plus distant et réservé. C'est intéressant de voir comment quelqu'un (moi)

peut être perçu aussi différemment. Cela montre bien ce que
la perception a d'individuel. Le bleu du ciel est-il de la même
nuance quand il est vu par d'autres yeux que les miens ? Cela
vous arrive, à vous, de vous poser ce genre de questions ?
C'est cette curiosité qui me fait dire, en regardant une photo
de moi : « Elle est belle », ou bien : « Elle n'est pas assez
radieuse. » Je dis toujours « elle », je ne dis jamais « je ».
Parce que la perception que j'ai de moi, sur une photo, n'a
rien à voir avec celle que j'ai de moi en tant qu'individu.
Cette distance, je crois, me permet d'apprécier mon travail
d'un œil critique, d'un point de vue de professionnelle.

J'ai regroupé sur un mur des photos de moi prises par
différents photographes. Je l'appelle mon « mur de moi ». Je
n'ai pas fait cela par vanité, mais par fierté d'avoir travaillé
avec un si grand nombre de gens de talent, car ces portraits,

à ce qu'il me semble, révèlent davantage la personnalité de ceux qui les ont réalisés que la mienne. C'est à eux que je pense, en regardant mon « mur de moi », je ne m'extasie pas devant mon visage. Les photos révèlent le photographe avec une telle précision que je peux regarder n'importe quel journal de mode et dire qui est l'auteur de chaque cliché sans avoir à consulter les crédits photographiques.

Malgré son but commercial, qui tend inévitablement à standardiser l'image, la photographie de mode et de cosmétiques exprime la personnalité du photographe. C'est pourquoi je la considère comme un art *en camisole de force.*

PORTRAIT CRACHÉ

J'ai l'ovale du visage, la mâchoire et la bouche de ma mère. Le nez aussi, mais le bout seulement, pas la racine que je suis seule dans la famille à avoir de cette forme. Mes yeux, mon front, mon teint, ma taille diffèrent de ceux de maman, et pourtant tout le monde, sans exception, dit que je ressemble à Ingrid Bergman. Je prends un taxi. Le chauffeur n'a pas la moindre idée que je suis sa fille, cependant il s'étonne : « J'ai cru que je chargeais Ingrid Bergman. » Les gens m'arrêtent dans les magasins, dans le métro, dans la rue quand je vais chercher mes enfants à l'école, et tous s'exclament : « C'est fou ce que vous pouvez ressembler à Ingrid Bergman. » Ils m'abordent avec une expression que je reconnaîtrais entre toutes. J'ai beau prendre l'air pressé, inquiet, voire déprimé, rien ne les arrête. Je n'ai toujours pas trouvé ce qui les découragerait de me lancer : « On vous a déjà dit que vous ressembliez à Ingrid Bergman ? »

Ma réponse, qu'elle soit positive ou négative, déclenche une avalanche de commentaires. Si je dis oui, ils commencent par s'ébahir : « Et on vous le dit souvent ? » pour se justifier aussitôt : « Forcément, c'est ahurissant ! Vous avez joint Mlle Bergman pour lui faire savoir qu'elle avait un

Moi copiant maman dans Casablanca
pour le téléfilm Toi, l'assassin, *de Bob Zemeckis.*

sosie ? » Si je réponds non, ils insistent : « Mais c'est impossible, parce que vous êtes son sosie, je vous le jure...» Et, pour me convaincre, ils n'hésitent pas à arrêter d'autres passants : « N'est-ce pas qu'elle ressemble à Ingrid Bergman, hein ? Je n'ai pas la berlue, quand même ! C'est incroyable ce qu'elle peut lui ressembler, vous êtes d'accord ? Tenez, regardez ! »

Leur étonnement devrait se dissiper quand j'avoue que je suis sa fille mais, en règle générale, j'obtiens l'effet inverse. On ne se contente pas de me sortir toutes les réactions citées plus haut, on me dévide la liste entière des films de ma mère : « Qu'est-ce que je l'ai aimée dans celui-là, mais cet autre, alors, qu'est-ce qui lui a pris de le tourner ! » Puis : « Quelle chance d'avoir eu une mère pareille ! C'est une femme d'une grande beauté intérieure, ça se voit. » Pour finir par le pire : « Oh, je ne parle que d'elle, ce n'est pas gentil, parce que je suis bien sûr que vous êtes beaucoup plus que la fille de votre mère, vous êtes vous, une personne à part entière ! Vous êtes vous. N'est-ce pas que vous voulez être vous ?...»

J'ai été reçue à la Maison Blanche avec David Lynch. C'était un grand dîner avec une foule d'invités. Dans la queue pour le serre-pince, David était devant moi. Quand je me suis avancée vers le président et la *first lady*, Nancy Reagan m'a agrippé la main et ne l'a plus lâchée. Et j'ai perdu David, poussé en avant par le flot des gens derrière nous, inexorable comme le cours d'un fleuve. Quand je l'ai enfin retrouvé, il m'a demandé :

« Qu'est-ce que t'a dit Mme Reagan pour te tenir la jambe si longtemps ?

– Comme d'habitude, que je ressemble à maman. »

En fait, elle m'avait dit précisément : « C'est vrai que vous ressemblez à votre mère. » Et son « C'est vrai » m'a fait penser qu'elle avait débattu de la question auparavant. Mais avec qui, avec le président ? Le président et la première dame des États-Unis prendraient le temps de se dire qu'Isabella Rossellini ressemble à sa maman ?

Ma mère et moi considérions que les gens exagéraient. Nous ne nous trouvions pas tant de ressemblances que ça, après tout, quand nous nous regardions l'une à côté de l'autre dans le miroir. Mais en 1979, après avoir visionné

Le Pré, le seul film de moi qu'elle ait vu, maman m'a confié : « Tu sais, ce qui m'a frappée, c'est que nous avons les mêmes gestes, les mêmes expressions, les mêmes intonations et la même démarche. Quand nous nous comparons dans la glace, nous avons les yeux fixes et le visage inexpressif, tendu dans l'observation. Maintenant, je comprends ce que les gens veulent dire. Je ne m'en étais jamais aperçue, avant. »

Et puis, un jour, je suis entrée chez un antiquaire, pour regarder, simplement, sans intention d'acheter quoi que ce soit. Il y avait là de très belles tables, des dressoirs, des miroirs anciens, des lampes, des chaises, et une seule personne dans le magasin. Une personne distinguée. En fait, je devrais dire très distinguée, le genre dame de la haute, à la fois à l'aise et réservée, si vous voyez ce que j'entends par là, et, pour ne pas la déranger, chaque fois que je m'approchais d'elle, je repartais dans l'autre sens, en pensant qu'elle ressemblait à maman. Et puis, à un moment, je l'ai heurtée de plein fouet. J'ai levé les yeux et devinez qui j'ai vu ? Moi ! Dans le miroir ! Jusque-là, je ne m'étais pas reconnue sous les traits de cette femme de quarante ans. Ça m'a fait un de ces chocs ! Je ne m'étais pas rendu compte que j'avais grandi si vite. Dieu merci, je me suis trouvée :

1. *Mince*. Un soulagement. Quand vous êtes mannequin, tout le monde vous serine que vous ne l'êtes pas assez. Mais moi, mon poids était juste comme il faut. Et je me suis dit : À bas mon nouveau régime !

2. *Élégante*. Cela m'avait demandé du boulot, mais j'y étais arrivée. C'est vrai que j'avais de l'allure dans mon tailleur-pantalon gris (de coupe masculine) et mon manteau noir, avec mon sac Paloma Picasso, mon écharpe de cachemire et mes gants.

3. Et *je ressemblais à ma mère !*

Vous avez raison, vous tous que je rembarre d'un air agacé ou d'une réponse sèche quand vous me dites que je ressemble à Ingrid Bergman, et je vous prie de m'en excuser. Je lui ressemble, d'accord. Mais qu'est-ce que j'y peux ? Qu'attendez-vous de moi ? Une déclaration à la face du monde ? Pour dire quoi ? Que, par bonheur, je tiens plutôt de maman ? C'est quand même normal de ressembler à sa mère, non ? Peut-être voulez-vous que j'applaudisse des deux mains à ce qu'a écrit une journaliste dans *Vogue*, en conclusion d'un long article sur moi : « Isabella a la présomption de croire que sa réussite lui vient plus de son talent que de son étrange ressemblance avec sa mère » ? Ouille, ouille, ouille, ça fait mal. Cette ressemblance serait donc la seule chose que j'aie ? Je ne serais rien d'autre qu'une approximation d'Ingrid Bergman ? Un imposteur, comme qui dirait ?

Je vais vous dire comment je vois les choses, moi. Être la fille d'Ingrid Bergman, c'est un atout, comme être bien faite, pétillante d'intelligence, ou avoir de superbes yeux bleus. C'est un atout dans la vie. Mais ce n'est que cela, un atout, et non pas la panacée à tous les maux. Et les cons qui font des commentaires du genre de celui publié dans *Vogue* constituent le prix à payer pour ma glorieuse filiation.

Les cons ! Eh oui, je l'ai dit ! Je dis aussi : merde, je m'en fous et connard, si vous voulez savoir. Vous ne vous attendiez pas à ce que la fille d'Ingrid Bergman dise des gros mots ? Alors, j'ai toujours l'air d'une grande dame ? Quand j'ai emmené maman voir *Raging Bull*, je l'ai mise en garde : « Maman, j'aime autant te prévenir : c'est un chef-d'œuvre mais les personnages ne s'expriment pas en termes très choisis. » Elle m'a enveloppée d'un regard condescendant et a laissé tomber : « Je connais : *bordel*. » Et elle est entrée d'un pas de fantassin dans la salle de projection.

FABRICATION D'UNE CRÉATURE
DE RÊVE

Quand on ne m'arrête pas dans la rue pour s'étonner de ma ressemblance avec Ingrid Bergman, c'est pour me dire : « Votre sœur est sublime. » Les gens font bien la relation entre les photos et moi, mais quand ils me voient en chair et en os, sans *glamour*, ils me prennent pour la sœur du splendide mannequin.

La fabrication de ce que l'on appelle une « créature de rêve » requiert tout un travail. Je n'ai à offrir que ce que je possède, mes traits et ma capacité à transmettre des émotions. Sur cette base, photographe, styliste, maquilleur, coiffeur agiront de concert et donneront naissance à la femme idéale, par la magie de la lumière, des filtres, des gommages et des rehaussements – par tout ce qui constitue l'art de la retouche.

Ce processus est bien davantage que le simple artifice auquel le réduisent certains, c'est une création et je la trouve fascinante. Les grincheux disent : « Qui n'aimerait se voir sublime, avec des jambes de deux mètres, le ventre plat, le visage lisse et des traits sans défaut ?! » Je ne vous cacherai pas que je prends plaisir à voir Steven Meisel rallonger mes jambes d'Italienne de quinze centimètres sur un coup de baguette magique, mais ce qui me plaît le plus, c'est de me découvrir réinventée par autrui.

J'aimerais assister à ce qui se passe dans le laboratoire, une fois terminée la séance, glisser un œil dans l'antre du Dr Frankenstein, mais on ne me l'a jamais permis. J'imagine que les photographes ont peur de mes réactions. Que je m'exclame : « Elles sont moches, mes jambes ? Tu ne m'avais jamais dit que tu les trouvais trop courtes ! » Ou bien : « Dis, tu me fais les yeux bleus ? J'ai toujours rêvé d'avoir les yeux bleus. »

Tout ce que j'ai obtenu d'eux, c'est de voir mes photos avant qu'elles soient retouchées et recadrées. Les clichés étaient pris à quelques secondes d'écart. Rien à première vue ne les distinguait les uns des autres, et pourtant, l'un était plein de vie, alors que l'autre était mort. Le meilleur avait probablement été pris au moment où je m'étais laissé submerger par le sentiment auquel j'avais fait appel. Je sais presque toujours quand la séance a été bonne ; si j'arrive à me concentrer et à anticiper l'ordre du photographe : « Parfait, va te changer », c'est que les photos seront réussies.

Ma jumelle Ingrid, agrégée de littérature médiévale, m'a dit un jour : « La nature insaisissable de la perfection a pour corollaire la nostalgie de l'impossible. Dante lui-même en a éprouvé la douleur à propos de Béatrice, alors qu'il venait de la voir traverser le pont. » Il en devint accro, obsédé, et c'est ainsi que sa « femme angélique » a fini par symboliser le désir inaccessible.

Qu'ils s'incarnent sous la forme de la *Donna Angelicata*, d'un mannequin ou d'une star de cinéma, les désirs contrariés se muent parfois en agressivité. Vous n'avez jamais souhaité la mort d'une créature sublime, vous ? Moi si. C'est ça l'envie, vous savez.

En matière de publicité, la beauté, le rêve et le désir sont des armes à double tranchant. Pour appâter les clientes, les inciter à acheter, rien ne vaut l'identification au mannequin. L'intimidation ne fonctionne pas, et c'est pourquoi les mirobolants contrats de publicité pour des produits cosmétiques, comme celui que j'avais avec Lancôme, sont signés avec des filles dont la beauté reste proche des gens. Vous noterez que, le plus souvent, elles sont brunes. Au début de mes apparitions dans les magasins, on m'a félicitée du grand nombre de femmes qui venaient me voir, toutes des clientes potentielles. Alors qu'aux apparitions d'Elle Macpherson pour Biotherm, ce sont les hommes qui s'agglutinaient. Elle était trop belle, m'a-t-on expliqué, elle faisait peur aux femmes. Or, ce ne sont pas les hommes que l'on cible dans les pubs pour les crèmes de soins. Vous voyez donc que ne pas être perçue comme la plus belle présente certains avantages.

Quand j'ai signé avec Lancôme, j'avais été mannequin à temps complet pendant moins d'une année. En revanche, je comptais un nombre impressionnant de photos publiées. Rien qu'en 1982, j'avais fait quatre fois la couverture du *Vogue* américain, dont trois mois d'affilée, en septembre, octobre et novembre. Du jamais vu. Ces photos ne m'avaient été payées que 150 dollars chacune, mais elles étaient prestigieuses et c'est grâce à un travail prestigieux que vous obtenez les contrats pour les campagnes importantes.

À la fin de l'année, donc, j'ai été engagée par Lancôme. J'avais fait d'autres campagnes et des catalogues, mais très peu, et Lancôme était enchanté de ma « virginité ». Toute ma vie professionnelle avait été passée au crible. Une réclame de trois mois pour Revlon, l'année précédente, les tracassait beaucoup, de même qu'une publicité pour Kanebo, bien que je n'aie pas présenté les produits de beauté de la firme japonaise mais ses textiles, et ce, quatre ans auparavant.

À l'époque où j'étais animatrice à la télévision italienne, j'avais fait la promotion de la liqueur Rabarbaro Zucca. Frances Grill, mon agent, m'adjura de n'en souffler mot, les pubs de produits alimentaires étant quasiment considérées comme honteuses. Heureusement, cette réclame n'était passée qu'en Italie et Lancôme, apparemment, n'en avait pas entendu parler.

LES TRIBULATIONS
D'UNE ITALIENNE EN CHINE

La liqueur dont je vantais les mérites était extraite d'une racine chinoise. Aussitôt les relations diplomatiques rétablies avec la Chine, en 1979, Rabarbaro Zucca se débrouilla pour filmer une pub au sud de la Mongolie, dans la région très reculée de Kansu où pousse cette racine, et où les habitants n'avaient encore, pour la plupart, jamais vu de Blancs. Le séjour devait durer six semaines.

Nous tournions à l'extérieur de la ville, au milieu d'un champ, à côté d'un gigantesque plan de rhubarbe de la taille d'un arbre. Alentour s'étendaient à perte de vue des collines dont les couleurs étranges se sont gravées dans mon souvenir. Des collines toutes bleues, aménagées en terrasses et qui témoignaient de façon émouvante du labeur séculaire des paysans. Peu à peu, s'élevant de leurs flancs, je distinguai ce qui me parut tout d'abord être des cônes de fumée. Par quelque bizarre association, cette vision me rappela les films de John Ford et je compris que c'était de la poussière, soulevée par des chevaux au galop. De tous côtés, des cavaliers fondaient sur nous en hurlant : « Da-da ! », croyant que nous étions des Russes. Nous répondîmes : « Italiens ! I-taliens ! » Ça n'avait pas l'air de leur dire grand-chose. Je fis de grands signes de croix en disant : « Le pape ! », sans obtenir davantage de succès. Puis j'eus l'idée de crier le nom du footballeur qui, par un but sensationnel, venait d'offrir la Coupe du monde à l'Italie : « Paolo Rossi ! » Lui, ils le connaissaient. La police militaire, censée nous servir d'ange gardien, rappliqua sur-le-champ, manifestement fâchée du rassemblement.

Nous avions fait Pékin-Sian et Sian-Kansu en train, dans des compartiments fermés à clef dont les fenêtres avaient les rideaux baissés en permanence. Il nous avait été impossible d'avoir le moindre contact avec les Chinois. Je ne me souviens plus exactement combien de temps avait duré le voyage, mais il avait été très long. Un haut-parleur braillait sans relâche des phrases de Mao que mon interprète Francesca Cini me traduisait, du genre : « Il fait froid aujourd'hui, n'oublie pas de mettre ton chandail. » Ou : « Pense à te brosser les dents… Lave-toi les mains avant de manger ! » Le Grand Timonier parlait comme une bonne mamie… Je devais avoir d'autres occasions de me sentir proche de lui et de nous découvrir des affinités.

Après être descendus du train, nous traversâmes la campagne dans une jeep de l'armée. Nous dormîmes dans des baraquements militaires, sur des planches pourvues de minces galettes de paille crissante à souhait et affreusement piquante en guise de matelas. Nous avions interdiction de quitter le camp et c'est encadrés par une escorte que nous nous rendîmes aux champs de rhubarbe.

Là, voyant les gens s'attrouper autour de nous, nos gardiens entreprirent de les disperser à coups de fouet. Je ne sais trop quel sentiment me fit bondir sur l'un d'eux et retenir son bras – ce n'était pas le courage, je ne crois pas. Mais le fait est que je me suis retrouvée à califourchon sur son dos, la première éberluée de mon geste. Je n'eus pas le temps de m'excuser, car les autres nous séparèrent. L'incident avait suscité une évidente émotion. On nous reconduisit en hâte à nos baraquements et je fus menée sous escorte jusqu'à ma chambre où il me fut ordonné d'attendre. Par l'intermédiaire de Francesca, on me demanda si je voulais voir un film au village, ce soir-là. « Bien sûr », répondis-je. Toujours accompagnée d'un garde, soudain charmant et souriant, je passai entre deux rangées de Chinois qui m'emboîtèrent le pas. En procession, nous marchâmes jusqu'à un champ au centre duquel était suspendu un drap blanc, face à un projecteur 16 mm, et nous vîmes un film parfaitement sirupeux, mais qui me plut beaucoup. Comme me plut cette soirée en compagnie des paysans de Kansu. Était-ce le résultat de mon agression envers le garde, je ne le jurerais pas. En tout cas, je venais d'apprendre une leçon dont je me serais volontiers passée : parfois, être mal élevé, ça paie !

LES RÈGLES DU JEU

Bien que ma virginité professionnelle fût sujette à caution, Lancôme m'engagea donc comme mannequin exclusif pour sa campagne internationale. Par contrat, j'abandonnais à la marque la totale exclusivité de mon image dans le domaine cosmétique. Elle se réservait également un droit de veto sur toute campagne de publicité me représentant dans n'importe quel autre domaine. Mes apparitions dans les magazines se virent sévèrement réglementées : je ne pouvais pas présenter les lignes vestimentaires de compagnies ayant un département cosmétiques, comme Dior ou Chanel, et mon maquillage devait être obligatoirement signalé comme étant de Lancôme. Si l'envie me prenait de changer de coiffure, je devais les consulter, et je n'étais pas autorisée à bronzer ou à prendre du poids. En revanche, de petites interventions esthétiques, comme la réparation de ma dent cassée, furent considérées comme recevables.

Le contrat comportait également une clause morale, donnant à la compagnie le droit de se séparer de moi au cas où je serais mêlée à un scandale. Clause que Frances obtint de réduire aux grandes villes, ce qui me laissait un peu d'espace pour vivre. Je n'ai flirté avec ce danger que deux fois : en tournant dans *Blue Velvet* et en posant pour *Sexe*, le livre de Madonna. Quand je me suis trouvée enceinte, des discussions s'engagèrent pour déterminer s'il s'agissait d'une rupture de contrat d'après la clause « minceur », puisque j'allais perdre ma silhouette, ou la clause « scandale », puisque je n'étais pas mariée au père de l'enfant. Mais, en ces occasions, les divergences ne dépassèrent jamais le cap de la querelle et les procédures légales furent évitées. En 1992, le *New York Times* contribua à répandre une étrange rumeur :

Le nu d'Isabella Rossellini, paru dans le numéro de mai de l'édition française de *Glamour*, serait trop osé pour le marché américain. Quatre pages contenant les photos les plus suggestives prises par Paolo Roversi ont été retirées des numéros vendus en Grande-Bretagne et aux États-Unis.

Selon une source proche de la distribution du journal et qui a tenu à conserver l'anonymat : « Le motif est la nudité de Mlle Rossellini. L'esprit qui prévaut actuellement dans ce pays est tel qu'il est impossible de mettre en vente ce genre de publication. De même, le numéro de juin, qui présente un mannequin *topless* en couverture, se verra recouvert d'un autocollant pour la distribution outre-Atlantique. »

Olivier Mayeras, directeur du *Glamour* français publié par Condé-Nast, reconnaît ne mettre que quatre mille copies en vente aux USA. « Les magazines reproduisant des nus se vendent mal dans certains pays. C'est pourquoi nous ne voulons pas en distribuer aux États-Unis ou au Japon. »

M. Allen Bury, porte-parole de Mlle Rossellini, souligne que l'actrice et mannequin n'était pas au courant des problèmes de publication rencontrés aux États-Unis, mais qu'elle a vu le magazine et le trouve très bien.

Les publicités de Lancôme présentées par Mlle Rossellini occupent quatre pages dudit numéro.

Selon la rumeur, Lancôme aurait été à l'origine de la censure. Voyez par vous-même les photos litigieuses. (Pages 108 et 109.)

Le contrat Lancôme et la clause morale dont il était assorti avaient un air de déjà vu : ils me rappelaient les contrats de la grande époque d'Hollywood selon lesquels les comédiens appartenaient corps et âme au studio. Je n'avais pas oublié que maman, engagée par David Selznick, avait dû batailler ferme pour jouer dans les films de son choix. Lorsqu'elle était devenue une star ou, plus exactement, une fois que Selznick eut estimé qu'il avait *personnellement* fait d'elle une star, il l'avait louée à d'autres studios. Ce procédé, s'il rendit à ma mère une certaine liberté d'action, enrichit surtout son producteur. Maman touchait un salaire annuel de 60 000 dollars ; Selznick en empocha 110 000 pour *Casablanca*, 150 000 pour *Pour qui sonne le glas* et 100 000 pour *L'Intrigante de Saratoga*.

Ma situation et celle de ma mère n'étaient pas rigoureusement identiques : moi, je ne risquais pas d'être « louée » par Lancôme. À part ça, mon employeur se comportait, comme Selznick, en propriétaire compréhensif mais conscient de ses droits. Cela ne me dérangeait pas. Le fait de devoir rester à sa disposition alors qu'il se réservait la possibilité d'utiliser autant de mannequins qu'il le souhaitait m'a longtemps paru normal, il n'a commencé à me gêner que dans les dernières années de notre collaboration.

Nous venions de signer un nouveau contrat de quatre ans quand j'appris qu'une rumeur courait sur mon compte. À l'en croire, Lancôme allait se passer de mes services et me remplacer par un autre mannequin. J'ai alors mesuré ce que me coûterait mon éventuelle disgrâce : soit la marque m'écarterait en douceur tout en lançant son nouveau « visage », soit elle me mettrait au rancart sans plus de façons. En outre, notre accord m'interdisait de travailler pour une autre société de cosmétiques pendant les deux années suivant la fin de mon engagement, ce qui signifiait que Lancôme avait le moyen de contrôler mon destin durant six ans. Certes, je serais grassement payée pendant toute cette période, mais je me retrouverais aussi pieds et poings liés, et cela me semblait terriblement dangereux. Pour mon employeur, en revanche, cet exil loin des objectifs garantissait que mon image ne servirait pas à la promotion d'une marque rivale. Tel un moderne Selznick, il pensait que je lui devais ma notoriété, et laisser un concurrent l'utiliser à son profit lui paraissait absurde. Moi, je voulais rentabiliser ma réussite comme je l'entendais pour progresser dans ma profession et engranger d'autres succès. Ma mère m'avait montré la voie en gagnant de haute lutte son indépendance de comédienne : comme elle, je n'ai cessé de négocier ma liberté pendant ma période Lancôme.

Ma réussite dans la mode et la publicité me donna le cran d'aborder ma deuxième carrière, le cinéma. J'ai cessé de flir-

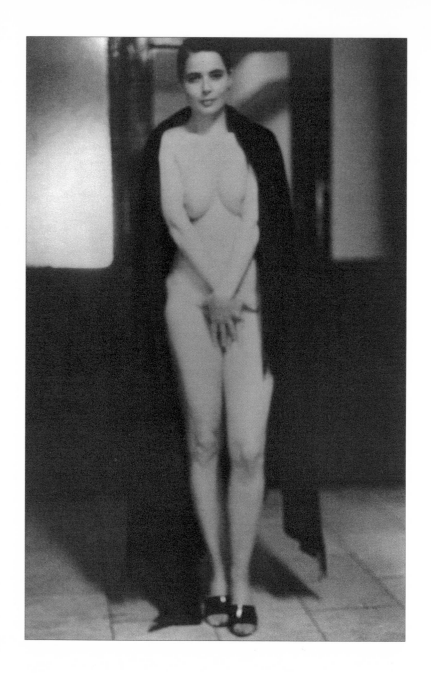

ter avec les caméras et, malgré ma trouille – mon glorieux
passé familial n'étant pas fait pour me rassurer –, je me suis
lancée pour de bon. Certains agents me conseillaient de

mettre un frein à mes activités de mannequin, jugées peu sérieuses pour une actrice. Je pensais, au contraire, qu'elles seraient un atout pour moi. J'avais vu juste. Le cinéma et la télévision m'avaient boudée, à cause de mon accent. Ce sont la publicité et son *glamour* qui ont familiarisé le public américain avec mon visage et m'ont ouvert les portes des studios.

Le cinéma m'enseigna une foule de choses. Notamment, l'art de discuter un contrat.

En 1989, j'ai signé avec Lancôme un nouvel accord, relatif au parfum *Trésor*. Il marquait un progrès sur mes contrats antérieurs, et même sur ceux en vigueur dans la profession, car les responsabilités qu'il me confiait excédaient largement celles d'un simple mannequin. Il me permettait d'intervenir à tous les échelons de l'élaboration du parfum et j'avais accepté de baisser mon salaire afin de toucher un pourcentage sur les ventes, à l'instar de certains acteurs qui se font payer sur les recettes de leurs films. Plus tard, dans mon contrat avec le groupe Lancaster-Coty portant sur la création d'une ligne de cosmétiques, je devais reprendre une autre habitude du septième art : l'accord de développement, selon lequel le comédien n'est plus engagé en tant que simple interprète, mais signe avec le studio un accord de participation au développement du projet dans son ensemble, ce qui lui confère un véritable pouvoir créatif.

Le contrat *Trésor* fut un tournant dans ma vie. Mon emploi du temps changea radicalement. Je cessai de passer mes journées dans les studios des photographes. Accompagnée le plus souvent par la charmante et efficace Claudine Clot-Desmet, responsable des relations publiques chez Lancôme, je me mis à voyager dans le monde entier. Partout, en Espagne, en Allemagne, en Belgique, en Grande-Bretagne, en Italie, en France, au Canada, à Singapour, au Japon, à Taiwan, au Mexique, en Grèce, en Russie, dans les pays scandinaves, à Hong-Kong, de même qu'à l'intérieur des États-Unis, j'apparaissais dans les grands magasins, je parlais avec les vendeuses, je rencontrais les journalistes.

À Taiwan, nous fûmes littéralement assiégés par la foule. Au point qu'il fut impossible de finir la présentation et que nous dûmes nous enfuir par les sous-sols, sous la protection de la police. Dans un autre pays d'Asie, je fus invitée à faire passer l'examen final à deux cents jeunes campagnardes qui postulaient pour un emploi de vendeuse dans les magasins *duty free* des aéroports et avaient été spécialement formées aux bonnes manières occidentales. L'épreuve consistait à me dire bonjour : elles devaient me serrer la main sans dureté ni

mollesse, me parler d'une voix douce et basse, sans pousser dans l'aigu ni piailler comme l'exige la bienséance locale, le tout en me regardant dans les yeux, règle très difficile à observer dans une contrée où cette attitude est le signe d'une arrogance extrême frisant la provocation.

Ces nombreux contacts me firent comprendre que Lancôme et moi symbolisions bien davantage que la beauté et l'élégance. Pour ces gens, les crèmes de soins étaient synonymes de richesse, d'économie de marché, de travail, toutes choses ardemment désirées dans de nombreux pays.

Rencontrer entre cinq et sept cents personnes par jour est épuisant. Les réactions que je suscitais allaient de la vénération au désir de me défier. Les banals « Bonjour, je suis ravie de faire votre connaissance » se teintaient d'une infinité de sous-entendus. Mon devoir, en tant que porte-parole de Lancôme, était de répondre d'une façon si chaleureuse qu'elle désarmait les plus agressifs, ou si rassurante qu'elle dissipait toute timidité.

Ces entrevues de quelques secondes ont pu paraître guindées et superficielles. Moi, je les ai ressenties comme des échanges intimes, authentiques, vibrants d'intensité. Souvent, après m'être plongée dans cette marée humaine agitée par des émotions de toutes sortes, je m'isolais dans ma chambre d'hôtel, terrassée par ma journée. Je ne pouvais plus fermer l'œil. Je faisais une overdose de sentiments, tant ces confrontations avaient été chargées.

Je m'étais muée en icône sur laquelle chacun projetait ses fantasmes. De nouveau, je pensai à Mao Tsé-toung. Mon effigie à la gloire de Lancôme, placardée à tous les coins de rue, égalait en nombre ses portraits. Cette campagne de publicité massive me donna une idée du pouvoir qu'engendre une image omniprésente. Tactique que les dictateurs eurent l'idée d'utiliser bien avant les entreprises capitalistes.

Cet aspect de la vie du mannequin me laissa perplexe. Il me fit m'interroger sur la nature humaine, sur les façons de manipuler l'opinion et sur mes propres responsabilités en tant que personne publique. C'est celui dont on parle le moins, mais qui me toucha le plus.

LE STYLE ET LE CONTENU

Papa est reconnu comme le père du néoréalisme. À mon avis, il a fait pour le cinéma ce qu'ont fait pour la photo les fondateurs de l'agence Magnum, Henri Cartier-Bresson, Chim Seymour, George Rodgers et Robert Capa. Ma mère avait une immense admiration pour Robert Capa. Non, plus que cela : elle l'aimait. Elle avait eu une liaison avec lui avant de rencontrer papa, et je l'envais. Quand elle vit pour la première fois un film de mon père, je crois – ce n'est qu'une supposition, parce que je n'étais pas née à l'époque –, je crois qu'elle eut l'impression de voir s'animer les photos de Robert Capa. Vivre avec mon père, c'était avoir la chance de participer à quelque chose qu'elle respectait infiniment et qui n'avait rien à voir avec le cinéma d'Hollywood. Son autobiographie, écrite avec Alan Burgess, commence par ces mots : « Elle sortit dans l'air froid de La Cienaga Boulevard, à Hollywood, ahurie par le film qu'elle venait de voir. Elle regarda les néons scintillants, les phares des voitures qui filaient sous ses yeux et, saisissant Petter par le bras pour l'entraîner vers l'affiche du film, elle lui dit : "Nous devons apprendre à prononcer correctement le nom de ce metteur en scène. Si un être humain a le pouvoir de porter à l'écran ce que nous venons de voir, il ne peut être que sublime." »

J'ai demandé à maman pourquoi elle avait commencé son livre par cette phrase. Elle m'a répondu : « *Rome, ville ouverte* a changé ma vie, c'est l'événement le plus important de mon existence. »

Voici comment elle décrit le film : « Le réalisme et la simplicité de *Rome, ville ouverte* étaient saisissants. Les acteurs ne jouaient pas comme des acteurs, ils ne parlaient pas comme des acteurs, c'était noir, il y avait des ombres, à certains moments on ne voyait pas bien ce qui se passait, à d'autres on entendait mal ce qui se disait, mais c'est comme cela dans la vie... Vous voyez à peine, vous entendez mal, mais vous savez qu'une chose inouïe se produit sous vos yeux. C'était comme si on avait fait tomber les murs des maisons et qu'on avait pu voir à l'intérieur des pièces. Plus que cela : comme si vous vous trouviez vous-même dans la pièce et participiez à l'action. Vous pleuriez avec ces gens et vous saigniez avec eux. »

Prudente de nature, ma mère attendit le film suivant, *Paisa*. Elle sortit de la projection tout aussi bouleversée et entreprit d'écrire à papa pour lui proposer de travailler avec lui.

Mes parents n'ont pas seulement tourné cinq films ensemble, ils se sont aimés et ont eu trois enfants (dont moi). Ils ont suscité l'un des plus grands scandales du siècle et en ont été marqués pour la vie. Ils ont été bannis d'Hollywood, pas officiellement bien sûr, mais le Sénat américain alla jusqu'à s'en mêler et déclara : « Des cendres d'Ingrid Bergman un nouvel Hollywood va naître. » Voilà pourquoi ils choisirent de rester en Europe, où j'ai été élevée.

J'avais vingt-cinq ans quand j'ai posé le pied à Hollywood pour la première fois, et je n'avais pas fait trois pas dans mon hôtel que le concierge me déclara : « Votre père, il vous faisait payer une place de cinéma pour vous montrer ce qu'on peut voir gratuitement rien qu'en ouvrant sa porte.» Il lui en voulait encore d'avoir *volé* ma mère. Sa réaction m'aida à comprendre l'irritation des gens à propos des films de papa.

Le fait est que les films de mon père sont si vrais que l'on est tenté de croire qu'il ne s'agit pas de fiction, mais d'un documentaire un peu particulier. Ce fut d'ailleurs l'opinion des financiers de *Rome, ville ouverte*, qui refusèrent de payer papa. « Le contrat stipule un film, ça, c'est la réalité. Pourquoi n'avez-vous pas fait un film ?» Et mon père dut prendre à sa charge tous les frais qu'il mit des années à rembourser.

Ce n'était que le premier de ses déboires financiers. Régulièrement, quand nous étions petits, nos meubles étaient saisis pour rembourser les dettes de papa. On nous laissait de quoi dormir, les matelas uniquement, sommiers et têtes de lit étaient emportés. Cela ne m'affectait pas vraiment. Il m'a fallu atteindre l'âge adulte pour comprendre que c'était considéré comme honteux. Moi, j'avais toujours pris ça pour un problème dont il suffit de tenir compte et j'ai un certain goût pour ce qui se résout facilement. Puisque les meubles étaient voués à disparaître, nous les achetions au marché aux puces (c'est resté un de mes lieux de shopping favoris). Cela dit, l'aspect déshonorant de notre situation ne m'échappait pas totalement, car j'avais vu ma mère pleurer au moment où un huissier embarquait le chapeau de sorcière qu'elle portait dans le *Jeanne d'Arc* de Victor Fleming – dans la scène où elle est conduite au bûcher au milieu d'une foule en furie. Maman l'avait transformé en abat-jour, il se retrouva donc dans la catégorie des meubles bons pour la saisie : les meubles honteux.

Quoi qu'il en soit, les films de mon père ont révolutionné le cinéma. J'en suis convaincue. Je ne crois pas que l'amour filial m'aveugle. Papa détestait les critiques et les spécialistes de cinéma, il ne supportait pas de les entendre pinailler sans fin, pontifier et débattre du style, de son style à lui, qu'ils avaient étiqueté *néoréalisme*. Il méprisait quiconque accorde plus d'importance à la forme qu'au contenu. « Comme si je décidais d'abord du style dans lequel je tournerai mon film ! Non, je commence par définir ce que je veux dire et, seulement après, la façon dont je le dirai. C'est le contenu et l'argent alloué par le producteur qui décident du style qu'aura mon film, et sûrement pas l'inverse. »

C'est ainsi que j'ai grandi, en méprisant le mot *style*, et c'est la raison majeure qui m'a fait résister si longtemps aux propositions du monde de la mode. Jusqu'à ce que j'atteigne vingt-huit ans, âge auquel les femmes cessent généralement d'exercer le métier de mannequin. Je croyais que la mode et les produits de beauté n'étaient qu'une question de style et n'avaient aucun contenu. Puis j'ai constaté qu'une pulsion étrange nous fait tous aller dans une direction déterminée, vers un style bien précis. Pourquoi en est-il ainsi ? C'est un mystère, et il est fascinant. Peu à peu, j'ai commencé à douter de ma conviction et j'ai fini par remettre en question l'opinion de papa.

MES HOMMES ET LEURS ŒUVRES

Aucun peintre, photographe, réalisateur ou couturier n'a jamais été capable de m'expliquer les raisons qui le poussaient à faire une chose d'une façon plutôt que d'une autre. Dans leur travail, ils se contentent de vagues observations. Au mieux, un couturier laissera échapper : « Sublime !... Divin !... », un David Lynch s'écriera : « *Geez, Louise* » ou « *Hello Jumping George !* » – expressions fleurant bon son Montana natal –, quelqu'un d'aussi secret que le photographe Paolo Roversi se murera dans le silence. Ce sont les critiques, les journalistes, ceux qui ne sont pas des créateurs, qui tiennent à expliquer, à analyser, à dénommer. Ce sont eux qui déclarent qu'un nouveau style est né et ils se donnent bien du mal pour éjecter le précédent. En baptisant une tendance, ils l'emprisonnent : néoréalisme, expressionnisme, femme des années quatre-vingt-dix, etc. Les artistes, à mon avis, n'aiment pas les définitions, car c'est une manière d'imposer des lois et des règles qui finissent immanquablement par les confiner dans un espace précis où ils se sentent prisonniers.

On m'a demandé un jour si je pensais que *After Hours* était « un vrai Scorsese », et la question m'a rappelé cette anecdote qu'on rapporte sur Freud. Un jour, des pontes de la psychanalyse critiquèrent le manque de « freudisme » de sa dernière théorie. « Mais Freud, c'est moi ! » rétorqua le maître.

J'ai souvent commis la même erreur, moi aussi. Au lieu d'aimer les films sans arrière-pensée, j'ai tenté de raisonner, de rationaliser, j'ai employé des tonnes de mots, j'ai cité toutes les théories qui me venaient à l'esprit, surtout quand il était question de Rossellini, de Scorsese et de Lynch, qui sont ma Trinité à moi. J'aurais voulu qu'ils s'aiment les uns les autres et, pour les empêcher de se disputer, j'ai fait de mon mieux pour les cataloguer et leur trouver un dénominateur commun susceptible de concilier leurs différences. Mais cela, c'était dans mon imagination, car mon père n'a rencontré ni Martin ni David, il est mort des années avant que je tombe amoureuse d'eux. Quant à David et Martin, ils ne se connaissent pas. Dans mes conversations imaginaires, je crains comme la peste de les voir se quereller. Je ne veux pas de disputes dans la famille de mon cœur.

C'est mon père qui mène les débats, en me faisant des leçons interminables, disons-le carrément : des sermons. Comme de son vivant, quand il nous répétait à l'infini ses principes, pour nous les enfoncer dans la tête. Il était si convaincant que tous ses enfants, et moi la première, en venaient à se croire membres d'un culte à part dont il aurait été le prophète. Le fait de ne constituer qu'un groupe minuscule ne nous décourageait nullement. Jésus n'avait-il pas commencé avec seulement douze apôtres ?

SERMONS

« 'Coutez voir, *Sgionfa Bosse* !… » – surnom que papa me donnait à cause de mes joues rondes d'artisan de Murano, parce qu'il signifie « souffleur de verre » dans le dialecte vénitien de sa mère – « … le cervelet est la partie la plus ancienne et la plus solide du cerveau, alors que le cortex, où se conservent les pensées, en est la plus récente, la plus délicate, la plus élaborée. C'est le siège de l'imagination et de la mémoire. L'homme, qui est tout à fait conscient du rôle capital de cet organe, cherche souvent à l'endormir, quitte à employer les grands moyens, comme l'alcool ou la drogue. Ce n'est pas nouveau mais, dans le monde moderne, ça tend à se manifester plus violemment qu'autrefois, parce que nos responsabilités sont plus étendues... » Et le laïus scientifico-moral se poursuivait pendant des heures.

Mon père aimait la science. Il voulait faire des films sur la biologie, la chimie, la physique. Pas des documentaires, des films de fiction. J'ai participé à ses repérages en plongeant dans la Méditerranée pour récolter des oursins, mâle et femelle. Il fallait les ouvrir, en extraire le sperme et les œufs, les mélanger ensemble dans un plat et placer le tout sous un microscope, dans la cuisine, pour que papa filme la fertilisation.

Et une armée de spermatozoïdes minuscules de se lancer frénétiquement à l'attaque d'un gros œuf placide, juste sous mes yeux ! À peine était-il entré dans la place, qu'il disparaissait comme s'il s'était dissous. Seul l'anneau apparu tout autour de l'œuf, et qui lui faisait comme une couche plus épaisse, indiquait qu'il était arrivé à bon port. Je criais « Bloup ! » pour signaler à papa ce que je voyais au microscope : l'ensemble – œuf et spermatozoïde – se divisant en deux. « Bloup, bloup ! » Les deux parties se scindaient encore, puis les quatre se scindaient en huit. Arrivé à ce stade, en général, tout s'arrêtait. On savait que chaque partie aurait dû continuer à se diviser, à se spécialiser – les unes devenant les piquants des oursins, les autres la coque ou la matière comestible – et que, si l'expérience avait été menée avec un œuf et un spermatozoïde humains, on aurait obtenu les jambes, la tête, le cœur. Mais, au contact de l'air, tout mourait assez vite. Papa n'a jamais achevé son film sur la science. Quand il est mort, il y réfléchissait et expérimentait de nouveaux moyens pour le réaliser.

L'un des sermons dont papa nous a rebattu les oreilles s'inspirait de Comenius qui, en 1670, se plaignait déjà des limites du langage. « Pour décrire un éléphant à des gens qui n'en ont jamais vu, vous devrez utiliser une quantité incroyable de mots, et encore, ils ne seront pas précis. Gros, gris, un long nez sont des indications bien vagues quant à la taille, la couleur ou la forme. Si bien que chacun se fera une idée différente de l'éléphant et qu'aucune, probablement, n'aura grand-chose à voir avec la réalité. Alors que si vous montrez un éléphant à quelqu'un, il comprend tout de suite, et exactement, de quoi il s'agit. Le cinéma fait de même, il donne l'information la plus complète. *Il vainc l'ignorance !* » exultait mon père, les yeux brillants d'enthousiasme. « Les découvertes scientifiques de ce siècle sont aussi capitales que la découverte du feu dans le monde primitif. La plupart des gens croient que l'homme est motivé par deux pulsions, la peur et le désir. J'y ajouterais, moi, la connaissance. Je définis l'homme comme une créature qui se tient dressée sur ses pattes et veut rester dans cette position le plus longtemps possible pour savoir ce qui se passe au loin. »

J'ai des flashes de papa attaquant les artistes contemporains :

Est-ce qu'ils croient vraiment que la vérité, que la réponse aux questions essentielles de la vie, réside entre leurs jambes ?

Ou bien il tonne :

Tous ces auteurs de cinéma, ces réalisateurs de films indépendants ou artistiques, appelez-les comme vous voulez, ceux qui vous dégueulent tripes et boyaux sur la table sous prétexte de se libérer du joug de l'argent et des conventions dites commerciales, est-ce qu'ils croient vraiment qu'on va les regarder, fascinés, et s'identifier à eux ?

Ou encore :

Est-ce vraiment la partie obscure de l'homme, celle que Marx appelle le « non-humain » et Freud le « ça », cette partie qui ne sait que nous pousser à bouffer, baiser, boire et tuer qui est la source d'inspiration de tous tes petits chéris ?

Je ne comprends jamais très bien ce que papa veut dire quand il invoque Marx et Freud, mes lectures ne sont pas aussi étendues que les siennes. Mais quand il dit « tes petits chéris », je sens mon sang se glacer dans mes veines, parce que voyez-vous, c'est effectivement ce côté sombre et mystérieux qui est la source d'inspiration de David.

Et, pour couronner le tout, David aime à se voir comme un artiste, mot que mon père abhorre. David dit tout le temps qu'il veut vivre « en artiste », or papa n'a cessé de répéter : « Je ne veux pas être qualifié d'artiste. Je ne peux pas supporter ces artistes qui pensent que seule compte leur conception du monde. En fait, tout ce qu'ils cherchent, c'est à être différents, originaux. Ils se dénomment eux-mêmes des hommes de talent, comme si Dieu le Père les avait serrés sur son sein ou nimbés de son inspiration. Tous les problèmes du monde viennent de ce désir d'être différent, de sortir de la masse. Ça aboutit au sensationnel. Alors qu'il s'agit d'aller vers le monde avec le courage et l'humilité d'être simplement un homme. »

Un jour, j'ai lu une définition de l'expressionnisme allemand qui disait à peu près ceci : « C'est la recherche de la vérité, de la vérité au fond du cœur, pas de celle qui est sous nos yeux. En peinture, les visages sont exagérés, caricaturaux, afin de capter ce qui gît aux tréfonds de l'âme. » J'ai montré le texte à David, tout excitée d'avoir trouvé une définition qui l'honorait et l'absolvait aussi des critiques inquisitoriales de mon père. Je lui ai demandé : « C'est bien ce que tu fais, toi, non ? » La définition ne l'a pas choqué. À vrai dire, elle ne lui a fait ni chaud ni froid. L'idée de se trouver une appartenance artistique ne le captivait pas plus que ça. David avait son air absent, il devait errer dans une autre dimension. Ce n'est pas pour rien que certains le surnomment le Jimmy Stewart de la planète Mars.

Sur le tournage de *Blue Velvet*, pour m'aider à ressentir les angoisses de Dorothy Vallens, David disait souvent : « Les nuages arrivent ! » À l'époque, je savais deux ou trois choses sur les femmes battues. J'ai creusé la question pour jouer le rôle et je me suis informée sur le sadomasochisme. J'ai fouillé en moi pour faire resurgir le trouble, la peur et la faiblesse que j'avais connus, jeune fille, quand j'éveillais chez les autres le désir sexuel. Je me suis forcée à revivre en esprit le traumatisme que m'avait fait subir un copain qui avait abusé de moi, et à éprouver de nouveau l'étrange vision qui s'était emparée de moi quand j'avais été sauvagement battue. Je me souviens que je n'avais pas eu mal, j'avais juste été éberluée. Je me rappelle le premier coup. Ensuite, je n'ai plus vu que du noir piqueté de lumières, une sorte de ciel étoilé. Un peu comme Donald Duck quand il reçoit un bon coup sur la tête. Pour interpréter Dorothy qui supplie qu'on la batte, j'ai eu recours à cette expérience. Pour elle, le moyen de faire cesser l'angoisse – d'arrêter les nuages – c'était d'être battue et éblouie par ce firmament. Du moins, c'est ainsi que j'ai compris le sadomasochisme de Dorothy et que je suis entrée dans le monde poétique et surréaliste de David Lynch.

Travailler avec David, c'est comme crier : « Un, deux, trois » et sauter dans le vide. « Un, deux, trois », c'est la terre, ce doit être absolument réel, plausible. Vous êtes sur une piste de décollage, et vous vous retrouvez projeté dans un monde empli de mystères qui peut renfermer des vérités profondes. Ce n'est pas la volonté de se distinguer ou l'amour de l'étrange qui dictent à David son surréalisme. C'est plutôt que nos esprits rationnels sont incapables de dépasser un certain point. Il faut de l'intuition pour pénétrer plus avant, dans le mystérieux, le transcendant et l'inexplicable.

UN BON METTEUR EN SCÈNE

L'histoire est un tantinet indiscrète, mais je n'ai pas d'exemple plus probant pour expliquer ce qu'est un bon metteur en scène. Quand David m'a quittée, j'étais anéantie. Abattue, au point de ne plus me reconnaître. On aurait dit que j'étais incapable de sortir du trou. Mais il y a toujours une lueur au bout du tunnel, il suffit de la chercher. Je m'y suis attelée. Je me suis dit : « Je vais me raccrocher à tout ce que je trouverai de positif, même si c'est quelque chose d'aussi ténu qu'un fil. À force d'enrouler la bobine, la petite fille finira bien par sortir du bois, comme dans les contes de fées. » La seule chose positive qui me vint à l'esprit fut que Martin serait probablement ravi d'apprendre notre séparation. Non qu'il se languît de moi, loin de là, mais vous savez... il demeure toujours un petit sentiment de possession, même après le divorce.

J'ai retrouvé Martin au festival de Venise.
« David m'a quittée ! lui ai-je annoncé au téléphone.
– Je le savais, répondit-il à ma grande surprise.
– Comment tu as fait ? Personne n'est au courant, ni mes amis, ni ma famille, personne ne s'en doute. Même moi, c'était la dernière chose à laquelle je m'attendais. Comment tu as su ça, toi ?
– En te voyant à la télé. Quand David a reçu la Palme à Cannes pour *Sailor et Lula*, il t'a embrassée sur la bouche devant les journalistes. Or, vous avez toujours été très discrets sur votre vie privée, même si tout le monde savait que vous étiez ensemble, aucune photo de vous deux n'est parue dans la presse et vous n'avez jamais fait de déclaration. Si, après cinq années de vie commune, David décidait tout à coup de montrer qu'il t'aimait, c'est qu'il avait quelque chose à cacher. »
C'est clair ? Un bon metteur en scène, c'est celui qui connaît les fondements du comportement humain. Je ne peux pas dire qu'en raccrochant, j'étais consolée. La conversation ne me laissait pas l'impression d'avoir saisi le moindre petit bout du fil d'Ariane. Mais ma tristesse d'avoir perdu David s'était tempérée d'une admiration folle pour la perspicacité et la précision des bons metteurs en scène. Moi, quand David m'avait embrassée, je m'étais dit qu'après tant d'années il s'était enfin décoincé et voulait bien admettre que nous formions un couple. Mon manque de perspicacité me fait m'interroger sur mes capacités à diriger des acteurs. Parce que j'y ai pensé, vous savez.

Martin Scorsese et moi.

L'INSPIRATION

Un jour, lors d'une conférence de presse, on demanda à David où il avait trouvé l'idée de *Blue Velvet*. « Dans mon fauteuil », répondit-il. Sa candeur et sa simplicité m'enchantèrent. Par la suite, et bien que les discours ne soient pas son fort, il me développa un peu ce qu'il avait voulu dire par là. « J'attends qu'une idée me vienne. C'est un peu comme partir à la pêche... » Des images se formèrent lentement dans mon esprit, au gré de ses bizarres explications, et voici comment je me représente le processus créateur chez David : il est assis sans

David Lynch et moi.

rien faire et fixe un mur de sa maison, parcimonieusement
meublée. Son esprit démarre. Des pensées surgissent, sans
rapport les unes avec les autres, qui lui suggèrent des images,
des couleurs. Finalement, l'une d'elles le frappe, l'épate, dis-
sipe son rêve éveillé : il a ferré un poisson. « Il est inutile de
quitter la pièce. Restez assis à votre bureau et écoutez. Non,
n'écoutez pas, c'est inutile, il suffit seulement d'attendre. Non,
n'attendez même pas. Ce qu'il faut, c'est rester tranquille,
calme, solitaire, et le monde s'offre à vous. Alors, vous n'avez

plus qu'à soulever son masque.» Je soupçonne que cette description de Kafka correspond à ce que David appelle « partir à la pêche ». Pour appâter le poisson, il lui suffit de tirer et relâcher, tirer et relâcher. C'est ce qu'il fait avec son idée, lui permettant de se développer pour former progressivement une histoire.

Chez Martin, je pense que le processus est différent. Il part toujours d'un écrit – un scénario ou une biographie qui l'intéresse –, mais qui, pour devenir son histoire, doit passer par le filtre de son âme et c'est là que les choses se compliquent. Moi, je m'imagine son idée voyageant comme Dante, passant de l'enfer au purgatoire et du purgatoire au paradis.

Papa, quant à lui, rejetait toute implication psychologique ou personnelle avec ses films.

MON PÈRE : J'essaie d'être objectif, de filmer ce que je vois.

MARTIN : Cinéma objectif, cinéma subjectif, tout ça est tellement vague...

MON PÈRE : Disons, alors, que je n'appartiens pas à la catégorie des réalisateurs qui ne visent qu'à se raconter eux-mêmes en prenant n'importe quelle histoire ou la vie de n'importe qui comme prétexte.

ISABELLA : Mais de quoi tu parles ?

Je déteste quand les voix qui jacassent dans ma tête entament une polémique.

MON PÈRE : Quand j'ai tourné *Le Messie*, on m'a critiqué parce que je n'avais pas exprimé ce que moi, Rossellini, je pensais et ressentais à propos du Christ. Il paraît que ça aurait rendu le film intéressant ! Mais est-ce que cela a une quelconque importance ? En vertu de quoi mes opinions auraient-elles de l'intérêt ? Je voulais transcrire ce que le Christ a dit. N'est-ce pas cela qui compte ? Au lieu de quoi, on m'a accusé d'avoir fait un film froid, et cette froideur a été perçue comme l'expression d'une position antireligieuse. Et le film n'a pas été distribué.

ISABELLA : Parce qu'à ton avis, dans *La Dernière Tentation du Christ*, Martin ne fait que se servir du Christ pour exprimer ses doutes et ses sentiments sur la religion, sur Dieu et sur l'homme ?

MON PÈRE : C'est bien possible.

ISABELLA : C'est ce que tu as fait, Martin ?

Là, Martin intervient dans mon imagination :

MARTIN : S'identifier à Jésus – à l'homme, pas à Dieu – et trouver un dénominateur commun à tous les êtres humains, n'est-ce pas le seul moyen dont nous disposons pour nous comprendre les uns les autres ? Je n'ai qu'une façon d'exprimer le doute de l'homme, son trouble et ses tiraillements, c'est de me prendre moi-même comme point de départ.
MON PÈRE : Et c'est bien la limite des artistes contemporains.

Là, il faut que je vous donne une explication. Mon père, depuis qu'il est mort, mesure les choses à une échelle qui n'est pas la nôtre : à l'aune de l'éternité. Pour lui, un siècle n'est rien. De là où il se trouve, il suffit de lui et moi – un père et sa fille – pour couvrir tout un siècle. Il est né en 1906, quand il n'y avait encore ni voitures, ni téléphone, ni lumière électrique. Quand les automobiles ont fait leur apparition, sa mère s'est écriée, avec un manque total de discernement : « C'est une passade, ça ne durera pas. Les voitures sentent trop mauvais ! » Quand mon père est mort, les magnétoscopes n'existaient pas encore, ni les magasins de vidéo, il n'y avait pas CNN pour vous apporter des nouvelles du monde entier, même des pays où règne la censure, les gens n'avaient pas d'ordinateurs chez eux, ils ne voyageaient pas en avion supersonique, toutes choses dont je me sers quotidiennement (les jets, seulement dans les périodes de vaches grasses). Si je vis jusqu'en 2006, ce qui n'a rien d'improbable car je n'aurai jamais que cinquante-quatre ans, mon père et moi aurons couvert à nous deux le siècle dans sa totalité. En conséquence, pour mon père, une question qui n'a que cent ou deux cents ans d'âge mérite encore d'être débattue.

ISABELLA : Martin, cette réflexion sur la limite des artistes, est-ce qu'elle ne s'enracine pas dans le romantisme, quand l'artiste, pour la première fois, a été perçu comme un personnage central, doté d'une sensibilité particulière et de la capacité d'exprimer par son art l'humeur de ses contemporains ? Ce mystère qu'il est seul à ressentir, comme l'inspiration...
MON PÈRE (m'interrompant) : L'inspiration ? Je n'en ai jamais eu. Tu en as, toi, Martin ?

En matière d'inspiration, David serait mieux placé pour répondre – il parlerait de partir à la pêche – mais, dans mes conversations imaginaires, il n'adresse jamais la parole à mes parents. Il ne leur parle plus depuis que je me suis déshabillée dans *Blue Velvet*.

MON PÈRE : Parlons-en, de l'inspiration, comme vous dites ! Moi, je ne suis rien de plus qu'un type qui met un pied devant l'autre et tente, pas à pas, de comprendre ce qui se passe et d'en savoir un peu plus. Une fois que je me suis fait une idée, je tourne un film pour la partager. Mes films ne sont rien d'autre que cela.

Maintenant, maman joint sa voix à la mienne :

MA MÈRE : L'important, c'est ta façon de partager tes connaissances, tes histoires, tes émotions. Une histoire ne peut être entendue que si elle est bien dite. La même, racontée par un autre, peut perdre tout intérêt. En art, c'est la forme qui compte.

MON PÈRE : De bien filmer, de bien raconter son histoire, c'est quand même le minimum qu'on puisse exiger d'un professionnel ! Non, ce qui compte, c'est ce qu'il dit. En même temps, il faut apprendre à être soi-même un bon auditeur. Refusons de céder aux exigences commerciales, à la standardisation, sinon on risque de museler un génie sous prétexte qu'il bégaye.

MARTIN : Rossellini…

(Martin appelle toujours papa par son nom de famille, car il le connaît mieux comme réalisateur que comme beau-père.)

MARTIN (suite) : Pour résumer, si vous avez choisi de filmer simplement, sans effets inutiles, c'est parce que vous êtes convaincu que les gens vous écouteront toujours, du moment que vous leur dites des choses qui les intéressent ?

MON PÈRE : Absolument ! Le meilleur moyen de dire quelque chose d'intéressant, c'est de rester simple et direct. Je n'ai pas besoin de surprendre ou d'épater mon public pour capter son attention. Et encore moins de le manipuler. Le cinéma tape-à-l'œil sert avant tout à dissimuler le vide du contenu.

MARTIN : Eh bien moi, je n'ai rien contre le clinquant. J'aime assez attraper le public et le forcer à regarder. Je n'ai pas peur de faire feu de tout bois. Une histoire qui se tient, haletante, racontée avec brio...

Quand je suis allée pour la première fois voir Martin sur un tournage, j'ai été ahurie de découvrir la complexité de ses mouvements de caméra et le nombre de plans qu'il lui fallait pour couvrir une scène. La façon de s'exprimer de quelqu'un, que ce soit par les mots, l'image, ses choix dans la vie, ses vêtements, exprime sa personnalité et son degré de moralité. J'ai été élevée dans la croyance que, d'un point de vue moral, la façon correcte de placer la caméra était à hauteur d'œil et que, en vertu même de sa moralité, cette façon de faire était la plus élégante. Pour moi, l'élégance s'associe toujours à une idée de correction physique et morale, même quand je parle chiffons.

Un jour, alors qu'il tournait une scène du film de papa, *La Prise du pouvoir par Louis XIV*, mon frère Renzo plaça la caméra à un niveau un tout petit peu plus élevé que la hauteur du regard, afin de donner un sens encore plus extravagant à ce royal souper. Tourner ennuyait mon père, à l'inverse de tous les réalisateurs que j'ai connus, et il quittait souvent le plateau, laissant à mon frère de strictes instructions sur la façon de diriger la scène. Le lendemain, aux rushes, Renzo tremblait comme une feuille, mais papa n'a rien vu. Sinon, il aurait éclaté : « Qu'est-ce que c'est que cette façon d'influencer le public ! Tu veux faire comme la pub ? Tu veux manipuler les gens et les forcer à regarder par des moyens détournés, au lieu de leur montrer honnêtement ce qui se passait au XVIIe siècle, comme tes yeux l'auraient vu ? »

En observant les célèbres mouvements de caméra de Martin, ceux où il plonge de très haut au milieu des acteurs, je me suis dit que seule une mouche pourrait avoir ce point de vue, et cette constatation m'a jetée dans des abîmes de perplexité quant à savoir si c'était moral ou pas. En visionnant le film terminé, j'ai compris que, pour Martin, la caméra n'était pas un œil, mais plutôt une musique. Elle se déplaçait selon une chorégraphie parfaitement agencée qui chargeait la scène en émotion. Bizarrement, les films de Martin me sont aussi proches que ceux de mon père, et pourtant, ils sont faits très différemment. L'un comme l'autre montrent la réalité « comme si on avait abattu les murs d'une maison et qu'on pouvait voir à l'intérieur », pour reprendre l'expression de maman.

MARTIN : Quand j'étais petit et que j'allais au cinéma, je n'attendais pas du film qu'il me raconte ce qui se passait à deux pas de chez moi. Je voulais être emporté, hypnotisé par ce qui se déroulait sur l'écran.

MON PÈRE : Jean Renoir, qui était un de mes plus proches amis, m'a dit un jour, à propos de la force du langage cinématographique : « Mon idéal de metteur en scène a toujours été de réussir un gros plan. Pour le faire avaler au public, il fallait bien lui servir une histoire et je me suis incliné. Mais pas de gaieté de cœur. » J'ai trouvé son explication amusante et je lui ai demandé : « Tu aurais pu supporter de tourner un film qui t'ennuyait juste pour le gros plan d'une actrice ? » Il a répondu : « Oui » et nous avons éclaté de rire tant cette façon d'aimer les films nous paraissait enfantine, bien que je comprenne moi aussi la force d'un gros plan. Dans *La Voix humaine*, j'ai braqué la caméra sur Anna Magnani et je ne l'ai plus bougée. Je voulais qu'elle devienne un microscope qui me révélerait tout ce qu'il y avait en elle.

MARTIN : C'est cette puissance du langage cinématographique qui m'a donné le désir d'être metteur en scène. Au début, je ne connaissais que les films américains. Plus tard, à l'école de cinéma, j'ai découvert le cinéma européen. J'ai cru qu'on m'avait assommé avec un marteau-pilon : les Européens étaient bien plus libres que nous, dans le contenu comme dans la forme. Le système des studios n'existant pas chez eux, ils pouvaient faire des films beaucoup plus personnels, ils étaient reconnus comme des auteurs. J'essaie de mettre dans mes films tout ce que j'ai aimé au cinéma et davantage. J'utilise tout ce qui me tombe sous la main. À fond et sans fioritures, comme dans le rock'n roll.

MON PÈRE : Je n'aime pas quand on en fait trop. Je sens qu'on me manipule et ça me met en colère. Ce qui me touche dans la vie, c'est que les moments les plus dramatiques ont l'air absolument banals. Et c'est ce côté humble, dépouillé et terrifiant à la fois que j'essaie de rendre dans mes films.

MARTIN : Comme dans *Voyage en Italie* ? J'adore ce film.

MA MÈRE : Oh, qu'est-ce que j'ai pu m'y ennuyer, moi ! Je n'avais rien à faire, qu'à regarder tout autour, les monuments, la nature, les gens. Quand je pense que Godard et Truffaut m'ont dit que ce film avait influencé la nouvelle vague ! Je ne comprends pas. Toi aussi, tu aimes *Voyage en Italie*, Martin ? À Hollywood, bien des gens pensent que c'est en me faisant tourner dans des films comme celui-là que Roberto a brisé ma carrière. Moi, j'ai l'impression d'avoir brisé la sienne. De l'avoir forcé à écrire des histoires pour moi, pour compenser le fait que je ne pouvais plus tourner en Amérique, à cause du scandale qu'avait provoqué notre amour. *Europa 51, Stromboli, Voyage en Italie* n'ont pas eu de succès. Quant à moi, ils ne m'ont pas autant émue que *Rome, ville ouverte* ou *Paisa*, les films qui m'ont fait quitter Hollywood.

MON PÈRE : Tu n'as jamais compris les films que nous avons faits ensemble...

... Et voici le grand conflit entre mes parents, celui, à mon avis, qui les a conduits au divorce. Je ne connais pas tous les motifs de leur séparation, mais je soupçonne que les divergences artistiques y ont été pour quelque chose. Maman a toujours admiré et respecté le travail de papa. Papa, lui, ne respectait pas toujours les choix de maman, bien qu'il l'admirât comme actrice. Maman croyait dans la force du talent. Mon père considérait que le talent tout court ne méritait pas d'être porté aux nues. Elle croyait au spectacle, au sens hollywoodien du terme, alors que ça ennuyait papa.

MARTIN : En fait, Rossellini, vous êtes un créateur à part. Vous n'appartenez pas vraiment à ce qu'on appelle communément le monde du spectacle.

MON PÈRE : Ça ne me surprend pas. J'avais beau avoir toute une cour de rosselliniens qui aimaient, que dis-je, qui adoraient mes films, je n'ai jamais cru un mot de ce qu'ils racontaient. Je les ai toujours soupçonnés de m'aimer sur la base de critères esthétiques, et ceux-là, moi, je m'en fous. Mes films se fondent sur des choix moraux. En ce sens, tu as probablement raison, Martin, je ne suis pas vraiment un metteur en scène. Et tu m'en vois soulagé. Mon boulot, c'est d'être un homme. Un point, c'est tout.

HUMOUR

J'aimerais savoir parler comme mon père, avec légèreté, esprit, imagination et drôlerie.

Papa pouvait trouver les tours de phrase, les insultes et les comparaisons les plus inattendus. En voici quelques exemples, tirés de ses interviews :

Décrivant le réalisateur Marcel Pagnol : « C'était l'homme le plus amusant et le plus gai qui soit. Il feu-d'artifiçait des mots et des histoires plus drôles les unes que les autres. »

Sur la grammaire : « Toutes ces règles qu'on doit apprendre à l'école et dont les noms bourdonnent comme des mouches. »

Commentant les majestueuses funérailles de Vittorio De Sica : « C'est la dernière fois que je viens à un enterrement en amateur. »

À propos d'un dîner : « Il y avait réunis là plus d'intellectuels que de pigeons sur la place Saint-Marc. »

À un réalisateur maniéré et homosexuel qui l'irritait prodigieusement : « Je vais te coudre le trou du cul. »

À propos de Cocteau, Claudel, Pagnol, Renoir, dans le Paris de l'après-guerre : « Ils crépitaient d'intelligence, comme des bûches dans l'âtre. »

À Stefano Roncoroni, coauteur de son livre *Presque une autobiographie*, parlant de Mistinguett : « C'était la fragilité même. Elle avait dans les quatre-vingt-deux ans, des joues en oreilles de cocker et des jambes qui tremblaient tellement que, pour danser, elle devait être soutenue par un corps de ballet de jeunes hommes qui lui refilaient des coups de pied au cul pour la faire osciller de droite et de gauche. Le public énamouré la noyait sous les applaudissements. À la fin du spectacle, agrippée au rideau de scène, grippe-sou comme pas une, elle apostrophait la salle, profitant du salut final pour faire son marché du lendemain : "Y a-t-il un boucher parmi vous ? J'adore le steak haché. Ça serait possible de m'en offrir cent grammes ? Est-ce que vous pourriez me mettre de côté un peu de ceci ou un peu de cela ? Il y a un boulanger ici ce soir ?" Le public, éperdu d'admiration, lui livrait le lendemain une telle quantité de victuailles qu'elle était obligée d'en revendre une partie. »

RÉALITÉ CONTRE IMAGINATION

En privé, mon père laissait verve et imagination vrombir et filer à la vitesse de sa Ferrari, alors qu'au cinéma, il bridait sa fantaisie pour en faire un instrument de travail parmi d'autres. « Les histoires que je raconte dans mes films dits néoréalistes ne sont ni totalement vraies ni totalement inventées, elles sont probables », a-t-il répété dans de nombreuses interviews. Son imagination lui servait à créer cette probabilité. Il y recourait aussi dans ses films historiques pour rendre l'atmosphère de l'époque, mais en s'appuyant sur la réalité et en respectant scrupuleusement les faits.

« Il faut une sacrée dose de vanité pour croire que ce qui sort de notre cerveau vaut mieux que ce que nous voyons autour de nous. Avec l'imagination on ne va pas très loin tandis que le monde est si vaste », a écrit Jean Renoir, citant son père Auguste, le peintre impressionniste, dans le livre qu'il lui a consacré.

Cette phrase aurait pu sortir de la bouche de mon père. Il était convaincu qu'il suffit de regarder attentivement n'importe quoi pour y découvrir des merveilles. Rien n'était inintéressant à ses yeux. Je poursuis la citation de Jean Renoir, toujours à propos de son père : « (…) pour un vrai cavalier, il n'y a ni chevaux noirs ni chevaux blancs. (…) Les poils de leur robe sont mélangés. C'est un ensemble de tons qui donne l'impression de noir à la robe du cheval. Et parmi ces poils, même les noirs doivent être composés de pigments divers. » Les impressionnistes n'ont pas peint des « impressions », comme le nom que leur ont donné les critiques tendrait à le faire croire, ils ont mis au jour des réalités plus profondes auxquelles personne n'avait encore prêté attention. L'observation rapprochée permet de voir l'infinie variété des combinaisons de la nature.

D'un côté, les merveilles de la nature enchantaient mon père et le faisaient se sentir tout petit (réaction dont il se servait dans ses films) ; de l'autre, elles enflammaient son imagination (et cette réaction-là, il nous la réservait). L'enthousiasme de papa découvrant un poil roux dans la robe d'un cheval noir l'aurait poussé à nous décrire l'animal comme étant vermillon. Pour son dernier documentaire, il a grimpé au sommet de la basilique Saint-Pierre et nous a dit qu'il y avait vu rassemblés une myriade d'oiseaux échappés de leurs cages, perruches, canaris, pinsons, corbeaux, qui vivaient tous là-haut, sans s'en faire. Et mon père de s'extasier sur ce phénomène inouï qui avait transformé en jungle le dôme de cet édifice. Papa voyait des baleines devant notre maison de Santa Marinella, alors que tout le monde sait qu'il n'y a pas de baleines en Méditerranée. Lui, il les entendait même souffler la nuit et il se fâchait contre nous qui n'étions pas capables de voir et d'entendre comme lui.

DU MENSONGE,
ENCORE ET TOUJOURS

Jugulée dans le travail, l'imagination de mon père était illimitée dans la vie et pouvait parfois transfigurer la réalité. Si je m'aventurais à dire que papa mentait, il me frapperait de sa foudre, alors je vais effacer le mot de mon vocabulaire quand je parle de lui. Quoi que papa ait fait, ne lui donnons pas de nom, cela vaudra mieux. Ne pensez pas qu'il n'ait pu s'en empêcher sous prétexte que c'était un artiste. Le cinéma de Martin bouillonne de fantaisie, celui de David, n'en parlons pas, mais dans la vie, ces deux hommes sont loin d'arriver à la cheville de papa, question... vous savez quoi.

À l'inverse, ma mère collait à la réalité. Exagérément, je dirais. Pas moyen de lui faire raconter un mensonge, fût-ce

132

de politesse, du genre : « Isabella n'est pas là, est-ce que je peux prendre un message ? » Si c'était maman qui avait décroché, on était obligé de prendre la communication sinon elle aurait claironné : « Isabella ne veut pas vous parler. » Sincérité parfois embarrassante. À la maison, nous étions tous au courant du danger et agissions en conséquence. Je n'ai pas pris modèle sur elle. Moi, j'utilise volontiers mon imagination, j'enjolive, je mens : rangez cela dans la catégorie que vous voudrez. Je le fais en toute liberté, comme mon père. Mais, contrairement à lui, j'éprouve le besoin d'avouer que je me suis laissée aller, faisant montre d'une honnêteté signée Bergman. C'est peut-être cela, être leur fille – un cocktail de gènes de papa et de maman.

DES BIENFAITS DU MENSONGE

En anglais, mon père prononçait comme un *v* appuyé le *w* de *mother-in-law*, qui signifie belle-mère, ce qui donnait au mot le sens de « mère d'amour » (*mother-in-love*). Moyennant quoi, il vantait les mérites d'une langue qui nommait de si chaleureuse façon les pièces rapportées des familles. Étant donné son caractère autoritaire, personne ne s'aventurait à le corriger et surtout, personne n'eut le cœur de le décevoir. Ainsi, la famille tout entière adopta son erreur.

L'appellation *mother-in-love* me semble faite sur mesure pour Flo, la grand-mère de ma fille, ma belle-mère à moi. Quand je suis tombée enceinte d'Elettra, j'étais encore mariée à Martin. Ce qui choqua tout le monde, sauf les intéressés, Martin, Jonathan et moi. Néanmoins, nous résolûmes de satisfaire aux convenances. À Saint-Domingue, je divorçai de Martin pour 500 dollars et épousai Jonathan pour 50 (ces sommes indiquent bien la priorité des gens). L'affaire ne prit qu'une demi-heure. La famille de Jonathan, et Lancôme surtout, saluèrent ma décision avec un soulagement non dissimulé. En ce qui me concerne, le fait de devoir me plier à des règles que je tenais pour absurdes et relevant de la simple bureaucratie, m'agaçait plutôt. Martin, lui, s'en trouva blessé. Non du fait de ma liaison, car nous étions séparés depuis longtemps, mais parce que je rompais ma promesse de le protéger contre tout mariage ultérieur – j'étais sa troisième femme. Jonathan, enfin, aurait souhaité une fiancée un peu plus romantique et plus sensible à ses valeurs, qui incluent le respect de l'institution matrimoniale. Et c'est en me disant : « Ne te crois pas obligée de la porter » qu'il m'offrit une bague sublime, dessinée exprès pour moi par une amie, Susan Reinstein. Je m'empressai de la passer à mon doigt.

Les conventions étant satisfaites – mariage, divorce, second mariage, bébé –, je croulai bientôt sous les vases en cristal, les livres de cuisine, les plateaux d'argent, les couverts gravés, pour ne rien dire du robot multifonctions, le tout provenant de la famille de Jonathan et d'amis du Texas. J'étais étourdie par l'avalanche. Les boîtes commencèrent à s'empiler le long des murs jusqu'à toucher le plafond. Jonathan appela sa mère à la rescousse.

Douglas, l'ours de Jonathan, et Cataverino,
ma poupée, qui porte mon alliance.

134

Flo débarqua à New York, lestée d'une cargaison de cartes de remerciement à adresser à chacun des expéditeurs. À mes initiales I et R, elle avait ajouté un W pour Widemann, en un entrelacs soigneusement indéchiffrable visant à faire d'une pierre deux coups : apaiser ma furie, car elle savait que je tenais à garder mon nom de famille, et tran-

Ma fausse photo de mariage.

quilliser ses amis, que mon choix aurait fait sourciller s'ils l'avaient appris. Je compris alors que c'était elle la responsable de tout : elle avait envoyé des faire-part à Dallas tout entier. De surcroît, pour s'éviter les critiques de ses amis les plus conservateurs sur la conduite dissolue de son fils avec une fille plus vieille que lui et divorcée de trop fraîche date, elle avait monté tout un scénario, selon lequel nous aurions secrètement convolé en justes noces dans le Sud de la France, afin d'échapper à l'insatiable curiosité des journalistes. Pour conforter sa version, elle avait découpé dans un journal une photo de moi, prise par Bruce Weber pour Lancôme, et fait passer ma chemise et mon chapeau blanc pour une tenue de mariée. Ses mensonges machiavéliques me ravirent et lui gagnèrent ma confiance. C'était mon premier contact avec la famille de Jonathan.

Flo m'expliqua qu'elle ne se sentait nullement prisonnière du carcan social, mais que respecter les conventions était sa façon de manifester son respect à autrui. De même que connaître les pas d'une danse vous aide à bien la danser, se soumettre aux règles, selon elle, rendait agréable la vie en société. Assurée qu'elle ne chercherait pas à ligoter ma liberté, je m'ouvris à une mentalité qui m'était demeurée inconnue jusque-là. Je m'étais toujours opposée aux cérémonies, aux serments d'amour éternel, aux rites qui entourent noces et naissances, et c'est à Flo que je dois d'être capable aujourd'hui de faire plus qu'assister aux enterrements, unique tradition à laquelle j'aie toujours souscrit. Je peux m'amuser aux fiançailles, aux mariages, aux baptêmes, et partager l'excitation de mes amies qui enterrent leur vie de jeunes filles.

LES MEILLEURS AMIS DE L'HOMME

N'allez pas croire que les nombreux divorces survenus dans ma famille, l'homosexualité de l'un, les passions extramatrimoniales des autres et la prolifération de descendants

éparpillés aux quatre coins du monde m'aient incitée à mépriser traditions et morale commune. Mes animaux s'en étaient déjà chargés. Quand vous avez vécu avec des chiens, des chats, des lapins, des oiseaux et des cochons, la débauche n'a plus de secret pour vous.

Notre chat Gaitto a subi les assauts sexuels de tous les animaux passés par la maison, sans distinction d'espèce : chiens, lapins, furets, cochons. Seul le poisson rouge s'est abstenu de le violer, par incapacité à quitter son bocal, ainsi que Pongo, le perroquet de mon neveu Tommaso, une femelle que nous avons prise pour un mâle jusqu'à ce qu'elle se mette à pondre des œufs. Macaroni, la chienne de ma fille, mère de huit petits Jack Russel que nous appelons des *Jack Rossellini* pour marquer leur différence (ils sont courts sur pattes et ont conservé leurs ergots et leur queue d'origine), Macaroni donc, s'arrogeant le rôle de mâle, a successivement couvert Gaitto puis Tatto, un autre félin mâle, mais plus jeune.

Les animaux vous obligent à regarder en face les aspects les plus honteux de la nature : nous avons assisté aux croisements les plus invraisemblables, et même à des débordements suscités par des objets inanimés. Spanky, le cochon, passait ses nuits à chevaucher les meubles du salon. Au matin, il fallait tout remettre à sa place, le canapé devant la cheminée, les chaises autour de la table, les coussins sur les fauteuils, etc.

Quand j'étais petite, je ne pouvais voir un animal dans la rue sans le rapporter à la maison. Un jour, en entrant dans ma chambre, j'eus l'impression de plonger dans un verre d'Alka-Seltzer : tout s'agitait dans la pièce, le lit, les rideaux, le tapis, ça pétillait de partout et vous mettait le cœur en fête... jusqu'à ce que je réalise que cette surprenante animation était provoquée par les puces de quatre nouveaux rescapés. Mon père menaça de m'envoyer en pension si je ne cessais pas de recueillir les chiens errants. J'ai continué. Je ne suis jamais allée en pension.

Pour mes vingt et un ans, ma mère proposa de m'offrir un manteau de fourrure. Elle s'acharnait à inculquer un semblant d'ordre dans la famille, et la tradition voulait que l'on offre :

– Pour la première communion, une montre. Que je reçus.

– À seize ans, un rang de perles. Que je m'empressai de perdre.

– À dix-huit ans, un bal. Là, je me suis rebellée. C'était trop gênant.

– Et maintenant, le vison ??! Merci bien... Il n'en était pas question !

Maman allait devoir se creuser les méninges pour marquer cette date d'une pierre blanche et cela l'agaçait. Elle, ce qu'elle aimait dans les traditions, c'est qu'elles vous simplifient la vie : pas besoin de penser aux cadeaux. Au bout du compte, j'ai quand même hérité du manteau : un vieux, tout râpé, dont elle avait fait une doublure. Il était accompagné d'une note : « À Isabella. Il ne faut pas m'en vouloir, cela fait plus de trente ans que ces visons sont morts. »

LA SAGA DU MANTEAU
DE FOURRURE SELON MA MÈRE

« Il m'a été très difficile de me conformer à certains codes en vigueur à Hollywood, notamment en matière de vêtements. Quand David Selznick a découvert que je n'avais pas de vison, j'ai cru que la terre s'ouvrait sous ses pieds. Il n'en

Maman portant le fameux
manteau de fourrure.

croyait pas ses oreilles. Comment ? Mais tout le monde avait un manteau de fourrure ! Et le fait que le climat rende l'objet parfaitement inutile n'entrait pas en ligne de compte. Dans les soirées, il était de bon ton de laisser sa fourrure dans la chambre de la maîtresse de maison. Les visons s'entassaient en montagne sur le lit qui ployait sous le poids. Un jour que j'étais à New York, David appela Dan O'Shea pour lui demander de m'emmener faire l'achat d'un vison. Oh, ce n'était pas qu'il tenait à m'en faire cadeau, non, je devais le payer moi-même. Je me souviens de mon dégoût, une fois rentrée à Hollywood, quand j'ai négligemment jeté mon vison sur la pile. Il détonnait abominablement, il avait l'air d'avoir été acheté au rabais. Encore une fois, j'avais commis un impair, je m'étais refusée à prendre le plus cher pour satisfaire aux usages. J'ai revendu mon vison et l'histoire s'est arrêtée là.

David en fut désespéré. Sans vison, je n'étais pas une star. Pour le Noël suivant, il m'offrit un astrakan qui me plut davantage, de sorte que j'eus mon manteau de fourrure et cessai enfin de lui faire honte.

La même aventure se reproduisit à Rome, à dix ans d'intervalle. "Comment, tu n'as pas de vison !" s'exclama Roberto Rossellini, affreusement choqué. "Non", reconnus-je. "Mais *toutes* les femmes ont un vison. Je veux dire, en Amérique. Comment se fait-il que tu n'en aies pas ?" Je répondis : "Tu viens de le dire. Parce que tout le monde en a un !" Et que croyez-vous qu'il m'offrit à Noël ? Un vison ! Celui-là, je l'ai porté. Parce qu'en Italie, ce n'était pas courant, tout le monde n'avait pas *son* vison. Et aussi parce que c'est Roberto qui me l'avait offert. Je l'ai toujours, cousu dans mon imperméable. C'est la première fois qu'il sert à quelque chose. J'ai maintenant un imperméable chaud, pratique et doublé de vison. Peut-être qu'un jour une de mes filles le voudra. »

Des trois filles de ma mère, c'est donc moi qui fus élue pour porter le sien. Moi aussi, je l'ai toujours. Dans mon armoire. Quand ils l'ont découvert, mes enfants, horrifiés, ont proposé d'aller l'enterrer à la campagne, dans notre cimetière des animaux. J'ai trouvé cela un peu excessif.

AU PARADIS DE LA COPULATION

Un été, alors que j'avais décidé de prendre de longues vacances et de me relaxer en faisant du jardinage, je remarquai l'aspect rabougri de mes roses, des *Ingrid Bergman* comme il se doit. Leurs feuilles avaient jauni, elles étaient parsemées de taches brunes. Une bestiole s'était attaquée à la haie qui borde le jardin. Un examen attentif me fit découvrir des millions d'insectes qui jouaient à cache-cache, vêtus de vert pour se fondre dans le paysage.

Décidée à m'en débarrasser, je me lançai dans la lecture de toutes sortes de manuels et perdis bientôt de vue mon but original, jardiner pour me détendre. Le premier disait : « Si vous remarquez des fourmis le long des tiges, c'est que des pucerons ont investi vos plantes. Ce sont eux qui les attaquent, et non les fourmis qui ne sont là que pour les surveiller. Les pucerons se nourrissent de la sève de vos plantes... » Et ça continuait comme ça sur des pages et des pages. Je lus le reste sans rien y comprendre. Car mon esprit, focalisé sur le mot « surveiller », m'avait transportée à l'école, où un drôle de mot, une phrase bizarre prononcée en passant suffisaient à me distraire de toute la leçon. « Ils mangeaient de la viande : chèvre, mouton, cochon, chien, bœuf... » Du chien !!! « Le défunt roi fut enterré avec ses serviteurs... » Quoi ? ! Enterrés comment, les serviteurs, morts ou vifs ? Et s'ils étaient vivants, comment cela se passait-il ? Hurlaient-ils et se débattaient-ils ou bien acceptaient-ils avec soumission leur destin ? Une phrase comme celles-là, et c'en était fini de mon attention. Guerres, découvertes, enjeux politiques, je n'entendais plus rien. En ce sens, l'école a été pour moi synonyme de déconcentration. Et ce « surveiller », maintenant, produisait sur moi un effet identique. Donc, si les roses de ma mère étaient mortes, c'est parce qu'elles avaient été dévorées par des pucerons. Je me lançai dans l'exploration de la vie des pucerons et oubliai peu à peu le jardinage.

Voici ce que je découvris : les pucerons, au nom masculin, sont tous des femelles. La seule différence entre eux est que certains sont pourvus d'ailes et s'envolent de chez vous pour aller dévorer le jardin du voisin, tandis que les autres demeurent sur place et règlent son compte au vôtre. Les pucerons donnent naissance à des bébés, tout aussi femelles, et cette extraordinaire méthode de reproduction virginale se répète à l'infini.

En hiver, cependant, quand le froid est venu, ils rentrent dans la norme et engendrent des bébés mâles. Ceux-là naissent sans bouche et ne mangent donc pas. Ce ne sont que des machines à sexe. Ils copulent inlassablement avec les femelles qui, cette fois, donnent naissance à des œufs, et non à des bébés. Des œufs femelles, qui attendront le printemps suivant pour éclore et donner encore naissance à des femelles. Et le cycle recommencera sur une nouvelle saison.

Maintenant, si les fourmis surveillent les pucerons, c'est parce que les pucerons sont leurs vaches à lait. Il va de soi que les manuels scientifiques n'expliquent pas cela en ces termes, mais c'est ce qu'ils laissent entendre et ce que j'ai compris. En appuyant sur le ventre des pucerons, comme pour les traire, les fourmis les forcent à dégorger un suc dont elles se nourrissent. Les fourmis *surveillent* les pucerons à la façon des cow-boys leurs troupeaux. Je vous donne un exemple : quand le temps est mauvais, elles les regroupent et les obligent à réintégrer leurs nids jusqu'à ce que le soleil revienne, ou encore, elles font le ramassage des œufs de pucerons et les transportent à l'intérieur de leurs fourmilières pour les conserver dans leurs chambres souterraines jusqu'au printemps suivant, époque à laquelle elles ressortiront au jour et iront les déposer sur une feuille, pas trop loin de la fourmilière, de manière à pouvoir revenir les traire commodément quand ils auront éclos. Grâce à leur organisation militaire, les fourmis se révèlent pour les pucerons une protection efficace contre les prédateurs qui voudraient les manger, genre scarabées et libellules, et contre lesquels ils n'ont pas un système de défense adéquat puisqu'il consiste uniquement à péter. En effet, les pucerons expédient des jets de cire jaune à la figure de leur ennemi, et tout s'arrête là. Outre le risque d'être mangés, les pucerons en courent un autre bien supérieur : celui de servir de réceptacle aux guêpes enceintes sur le point de pondre. Je m'explique : les guêpes déposent leurs œufs à l'intérieur d'autres bestioles, avant la naissance de leurs larves féroces et carnivores car, si elles les conservaient dans leur utérus, les bébés dévoreraient leur mère de l'intérieur. Donc, si vous voyez un puceron devenir marronnasse, de vert et brillant qu'il était, vous pouvez être sûr qu'il y a dedans une larve au boulot. Quand le bébé guêpe est prêt à naître, il se taille un trou dans le ventre du puceron, un peu comme nous découpons le dessus d'une boîte de conserve.

Vous comprendrez maintenant qu'en découvrant ces choses incroyables, j'aie voulu en savoir davantage. Et je suis partie à la chasse aux insectes du jardin. Pour apprendre à identifier les espèces, j'ai lu des tonnes de livres. C'est devenu une obsession. Je ne me suis pas reposée de l'été.

Vous vous rappelez, quand nous étions petits et qu'on nous vantait les mérites de l'abeille, laborieuse et prévoyante, qui emmagasine inlassablement des récoltes en vue de l'hiver ? Tout ça pour nous apprendre à nous comporter sagement vis-à-vis de l'argent, à ne pas tout dépenser d'un coup, mais à penser à nos vieux jours, aux maladies, aux catastrophes, à posséder un compte en banque, un compte d'épargne, des bons du Trésor, etc. On nous disait que les cigales chantent tout l'été et meurent aux premiers jours de l'hiver, parce qu'elles ont passé l'été à ne rien faire. On vous a raconté ça, à vous aussi ? Eh bien, c'était uniquement pour vous décourager de jouir de la vie, de brûler la chandelle par les deux bouts et de mourir prématurément.

Parce qu'il y a une chose qu'on s'est bien gardé de vous dire, c'est que les abeilles pratiquent l'inceste. D'accord, elles travaillent ! Mais ça n'empêche pas que la reine se fasse sauter par son frère. Le pénis du malheureux n'est pas plus tôt entré dans le vagin de sa sœur qu'il est coupé en deux. Et tandis que le frangin reste à saigner à mort, la sœur se sert de son moignon d'organe comme bouchon : afin d'empêcher que la semence ne s'écoule, mais aussi pour résister aux assauts des autres mâles. Quant aux cigales, loin d'avoir la vie courte, elles vivent sous terre pendant des années. Sous forme de nymphes, ce qui signifie qu'elles ont un tout autre aspect, mais c'est toujours la même bestiole. Elles ressortent du sol, des années après, uniquement pour rencontrer leur partenaire sexuel. Et leur célèbre chant est, en fait, la sérénade des mâles qui frottent leurs ailes l'une contre l'autre pour appeler les femelles.

Maintenant, représentez-vous les têtes terrifiantes des insectes, quand on les regarde au microscope. Vous vous imaginez un peu l'aspect de leurs organes de reproduction ?

Est-ce que vous savez que le vagin est considéré comme un organe très ancien, qui n'a quasiment pas changé depuis l'aube des temps ? Tandis que le pénis est parvenu à sa forme actuelle après de longues métamorphoses, et ne se rencontre que chez les espèces les plus évoluées.

Prenez un ver de terre : cet animal n'est pas considéré comme très évolué. Ce qui lui sert de pénis ne mérite même pas ce nom. D'ailleurs, on dit : bourse séminale. C'est un pauvre petit attribut qui n'a de commun avec le pénis que d'être la caractéristique du mâle, c'est tout. Les vers de terre sont hermaphrodites : mâles et femelles en même temps. Ils copulent, et pas avec eux-mêmes, mais avec un autre ver de terre, dans la position que nous appelons 69, la tête de l'un contre la queue de l'autre.

La femelle d'un certain type de ver de terre pratique la fellation la plus énorme que le règne animal connaisse : elle avale son partenaire tout entier.

Chez d'autres espèces, les mâles ne se donnent même pas la peine de naître. Encore dans le ventre de la mère, ils copulent avec leurs sœurs.

Les araignées mâles doivent pratiquer une sorte de masturbation sur l'espèce de petite chose qu'elles ont entre les pattes pour récolter leur sperme à deux mains, qu'elles enfourneront ensuite dans le vagin de la femelle, une poignée après l'autre.

Le ténia – que Maria Callas est censée avoir avalé pour perdre quarante kilos – pratique, quant à lui, l'auto-érotisme. Il possède des organes mâle et femelle et introduit son propre pénis dans son propre vagin ! Quand j'ai fait un sujet sur la Callas avec Steven Meisel pour le magazine *Allure*, nous avons passé ses disques. Tout en écoutant sa voix magnifique, nous avons beaucoup discuté de ce qui se passait dans l'intestin de la diva.

J'ai probablement vu un pénis d'escargot, mais je n'en suis pas sûre, c'était peut-être le godemiché dont ils se servent pour stimuler l'acte sexuel. En tout cas, c'était une chose dure et blanche. Dressés ventre contre ventre, ou pied contre pied (puisque leur ventre se trouve être leur pied), les deux escargots se balancent d'avant en arrière jusqu'à ce que l'un des deux introduise le godemiché en question dans le corps de son partenaire pour stimuler son excitation. L'autre, qui a mal, attaque à son tour, et cela provoque l'érection de leurs pénis qui, semble-t-il, sont énormes (s'il s'agit bien du gros truc blanc que j'ai vu). Les deux pénis poussent de concert pour entrer dans le vagin du partenaire. Parce que les escargots sont dotés de deux organes sexuels, si bien que pendant la copulation, quatre organes, en fait, sont en action, deux pénis et deux vagins.

D'après ce que j'ai lu, il existe un escargot qui change de sexe. Chez cette espèce-là, les jeunes commencent tous par être des mâles et ne deviennent femelles qu'après la copulation. La transformation se produit pendant que mâle et femelle sont encore soudés l'un à l'autre. Un autre mâle arrive alors, vient se coller à eux et se transforme en femelle après avoir éjaculé. Transformation qui a pour effet d'attirer un quatrième mâle, puis un cinquième, jusqu'à ce qu'on se retrouve devant une tour de dix ou quatorze escargots, avec toutes les femelles à un bout et tous les mâles à l'autre, tandis qu'au milieu se trouvent ceux qui n'ont pas fini de passer par tous les stades du changement de sexe.

QUESTION DE SEXE

Et tout ça, masturbation, échangisme, sadisme, inceste, suicide, cannibalisme et j'en passe, vous conduit à l'éternité. Il est dit dans un ouvrage scientifique que « tous les êtres vivants étant mortels, la vie éternelle ne peut être atteinte que par l'espèce, un individu après l'autre ». Autrement dit, aux yeux de la science, je suis une reproductrice ; mon moi véritable, ce sont les œufs à l'intérieur de mes ovaires qui s'évacuent chaque mois avant les règles. Oh que je n'aime pas ça !... Vous ne trouvez pas que c'est horrible de décrire quelqu'un ainsi ?

Non que je préfère m'entendre dire : « Qu'est-ce que vous êtes sexy ! » Non, cette vulgarité-là, je ne l'apprécie pas davantage. Quand on me la sert, je réponds par un sourire et remercie, étant diplomate, mais dans le secret de mon cœur, je me sens offensée. Si j'ai tourné nue dans *Blue Velvet*, c'était pour exprimer la brutalité du viol. Je voulais à la fois avoir l'air d'une vache découpée en quartiers et mise à pendre à un crochet de boucherie et, dans le même temps, être attirante, obscène. Et puis le film est sorti, et quelqu'un m'a dit qu'il m'y avait trouvée sexy et très femme fatale. Pour d'autres, au contraire, j'aurais dû exiger d'être filmée plus à mon avantage. Ces réactions m'ont fait comprendre, l'une comme l'autre, que j'avais raté mon portrait de femme violée, que je n'avais pas su exprimer toutes les couches de l'horreur, de la perversité et du trouble. De tout ce que j'ai fait, seul *Blue Velvet* m'a donné l'occasion d'exprimer la complexité du sexe.

Le sexe est un sujet intéressant parce qu'il englobe ce qu'il y a de plus élevé dans la vie et ce qu'il y a de plus abject ; il va de l'amour le plus pur au plus brutal abus, des émotions les plus limpides aux plus noirs sentiments, en passant par toutes les nuances intermédiaires. C'est pourquoi j'ai accepté de travailler avec Madonna et Steven Meisel sur leur livre *Sexe*. Au début, j'avais refusé, à cause de mes enfants, de mon contrat avec Lancôme, de l'enseignement tiré de *Blue Velvet*. Steven et Madonna ont insisté. Et ce qu'ils m'ont dit de leurs recherches pour comprendre et pour illustrer le sexe dans toutes ses variétés et ses nuances possibles m'a semblé intéressant. « Je ne veux pas poser nue, ni t'embrasser à pleine bouche », ai-je bien spécifié à Madonna. « Okay », a-t-elle répondu, et nous sommes parties pour Miami. Nous nous sommes habillées en hommes pour faire les photos et nous avons ri, comme quand les filles se moquent des garçons. Lorsque le livre est sorti, nous avions l'air de deux lesbiennes, vu le contexte de l'ouvrage. Lancôme s'est inquiété. Je n'ai pas eu de mal à me défendre : « Vous avez des préjugés contre les lesbiennes ? » Ma remarque a découragé toute velléité de procédure.

Ma première couverture de *Vogue* est parue alors que j'étais mariée à Martin. En mars 1982. Pendant tout le mois, il a refusé de quitter la maison. « Tu t'es demandé si ça me ferait plaisir de voir des inconnus te reluquer avec concupiscence sur tous les kiosques ? » J'ai adoré sa réaction.

Des années plus tard, quand un agent m'a annoncé fièrement et avec un grand sourire que Gary Oldman, avec lequel je vivais à l'époque, avait enfin atteint le statut de sex-symbol selon les critères d'Hollywood, j'ai réagi exactement comme Martin. Dans ma révolte, j'aurais passé toute la maison au désinfectant, en commençant par le lit que nous partagions. Le fait qu'il m'ait choisie, moi, ne me procurait strictement aucune fierté. Je me moquais pas mal d'être enviée par les autres. D'ailleurs, je gardais les yeux fermés pendant presque tous ses films. À commencer par les scènes d'amour. Mais je n'aimais pas davantage qu'on le tue à la fin. Or l'une ou l'autre situation, pour ne pas dire les deux, avait toutes les chances de se produire au cours du scénario. Les films de Gary, je ne les regardais pas, je les écoutais, comme une histoire à la radio.

Je ferme aussi les yeux aux films de Martin, à cause de toutes les scènes sanglantes qu'il ne peut s'empêcher d'y fourrer. Je les trouve pénibles à regarder. Pourtant, lui, je l'ai vu s'évanouir une fois à la vue de son sang. Une simple gouttelette et Martin était dans les pommes. C'était chez le médecin, on lui avait incisé le doigt pour lui prendre un échantillon de sang. Il n'est pas plus tôt revenu à lui que je lui ai crié : « Tu comprends, maintenant, l'effet que tu fais aux autres ? » Avec tes films, voulais-je dire.

INGRID

« Cosmétique vient de *kosmos* ! » s'est exclamée l'autre jour Ingrid, ma sœur jumelle, m'appelant au téléphone d'une bibliothèque. Elle exultait ! À ce point excitée que j'ai dû lui demander de répéter. « Le mot cosmétique a un rapport avec

l'univers. Qu'est-ce que je suis contente ! » Et elle a raccro-
ché. « Contente de quoi ? » me suis-je demandé. Mais je
connaissais la réponse.

Ingrid et moi ne sommes pas de ces jumelles en symbiose
télépathique. Elle est agrégée de littérature médiévale et la
façon dont elle s'efforce de comprendre, voire d'absoudre mon
intérêt pour la mode, les produits de beauté et même le cinéma
me remue profondément. « Tu en as, du courage ! » m'a-t-elle
dit quand j'ai accepté de tourner pour la première fois. On
aurait pu imaginer que je partais à la guerre. L'une des rares
fois où je l'ai emmenée dîner chez Bruce Weber, elle n'a pas
tenu cinq minutes en présence des beautés sublimes également
invitées. « Ce sont de vrais mannequins, elles, tu ne crois pas
qu'on devrait partir ? » Comme si ma filouterie risquait d'être
démasquée et mon imposture exposée aux yeux de tous.

Nous menons des vies tellement différentes que, si Ingrid
n'était pas ma sœur, je ne l'aurais probablement jamais rencontrée. Mais, étant donné que nous sommes jumelles, nous
nous connaissons mieux que n'importe qui. Nous savons
faire vibrer nos cordes les plus intimes ou nous donner de
simples palpitations. Je ne saurais jamais viser un autre

Ma jumelle Ingrid et moi.

148

cœur avec une telle précision. Récemment, je lui ai envoyé par la poste une serviette en papier d'un café de Paris. Je savais qu'en voyant le sigle dans le coin, elle se rappellerait aussitôt notre enfance. Ça n'a pas manqué de la faire voyager dans ses souvenirs. Une fois, à Noël, je lui ai offert, enveloppé dans un joli papier cadeau, un petit carreau de faïence bleue de deux centimètres sur deux, sachant qu'il déclencherait immédiatement en elle d'agréables associations d'idées. Elle le conserve amoureusement dans sa boîte à bijoux avec les aigues-marines, les perles et les rubis que papa lui a rapportés d'Inde.

« Cosmétique vient du grec *kosmos*, qui signifie ordre de l'univers », m'a faxé Ingrid. Elle avait tapé son explication à la machine pour éviter tout risque d'incompréhension. « Ordre en grec signifie également : ornement, embellissement. » Au grand soulagement de ma sœur, les cosmétiques étaient enfin associés à un concept de valeur, le cosmos.

Dans ma famille, on lit les dictionnaires étymologiques, comme dans d'autres on tire les cartes ou le *Yi king*. « Tu n'as pas besoin d'aller à l'école, m'avait déclaré mon père, éduquer égale castrer. Va toujours à la source des mots, tu y découvriras la nature des choses. » Forte de ce savoir, j'ai abandonné les études. Des années plus tard, Ingrid m'a annoncé qu'éduquer venait du latin *dux*, qui signifie le chef. *Il Duce*, le titre que s'était donné Mussolini, ça vous rappelle quelque chose ? Le sens étymologique d'éduquer était donc « diriger », et ses dérivés nous amenaient à « séduire », qui conduit vers soi, qui attire à soi. Ingrid m'a dit : « J'ai bien cherché, je n'ai trouvé nulle part qu'éduquer égalait castrer. » Elle était effondrée, sachant que, pendant trente ans, l'« éduquer égale castrer » de papa m'avait servi de bouclier contre la honte d'avoir abandonné l'école.

« Tu veux dire que papa s'est trompé ? Où a-t-il pêché ça, alors ? Peut-être qu'il ne s'agissait pas d'éduquer, mais d'apprendre ou d'enseigner, tu veux bien vérifier, Ingrid ? » Mais apprendre – en italien *imparare* – vient du latin *parens* (parent) qui mène, en italien, à des mots comme *partorire* (donner naissance) et ensuite, par des cheminements que je n'ai pas assimilés malgré tous les efforts d'Ingrid, au verbe s'approprier. Apprendre signifie donc posséder. Aucun rapport avec la castration. Quant à l'étymologie d'enseigner, elle n'était pas davantage faite pour me remonter le moral. Ce mot vient du latin *signum* qui signifie marque, signe de distinction, et d'où est dérivé signature. Là non plus, rien à voir avec la castration. Ingrid est la seule personne au monde à savoir combien cela m'a blessée. Elle sait que mon inculture me donne l'impression d'être exposée toute nue à la vue des passants : une ignorante et voilà tout.

J'ai tout partagé avec Ingrid, ma chambre, ma salle de bains, mes vêtements. Et l'école, jusqu'à mes treize ans. Jusqu'au moment où je suis tombée malade et où j'ai manqué toute une année scolaire. L'année suivante, je me suis retrouvée dans une classe pleine de morveuses plus jeunes que moi. Je n'étais plus avec Ingrid. J'ai supporté l'école pendant deux ans puis j'ai laissé tomber, en brandissant le slogan erroné selon lequel éduquer, c'est castrer.

Cette définition de l'école, invention étymologique de mon père, correspondait exactement à mon sentiment : celui d'être diminuée, opprimée, réduite à néant. Le simple fait de rester assise des heures d'affilée me donnait l'impression de suffoquer. Me tenir tranquille usait toute mon énergie, il ne m'en restait plus pour suivre le cours. Mon ignorance était incommensurable et Ingrid, qui le savait, fondait en larmes chaque fois que j'étais appelée pour réciter ma leçon. Avec en fond sonore les lamentations de ma sœur qui constituait un chœur antique à elle toute seule, je subissais l'humiliation de voir mes lacunes montrées du doigt. Pour les devoirs écrits, examens ou rédactions, c'était moins difficile, je copiais sur elle. Mais quand elle fut admise dans la classe supérieure, je perdis ces maigres succès.

« Vous ignorez peut-être la façon dont les hippopotames font caca. Moi, je l'avais oubliée, jusqu'à ce que je lise *Le Livre de la jungle* de Kipling. Je dois vous dire que, quand j'étais petite, je croyais que Kipling était de ma famille. »

C'est ainsi que débutait mon devoir sur cette œuvre.

« Quand j'avais six ans, mon père partit pour l'un de ses voyages fabuleux. Il revint deux ans plus tard, accompagné d'une belle dame indienne avec un point rouge au milieu du front et aussi d'un cadeau pour moi, un frère et une sœur, Gil et Raffaella. Durant son absence, il m'écrivit souvent. Il m'envoyait des cartes postales et des lettres avec des dessins représentant le globe terrestre pour m'expliquer où se trouvait l'Inde. Ou bien des télégrammes : "Il fait chaud. Baisers. Papa." Ou encore : "45° aujourd'hui. Baisers. Papa." Un jour, il nous expédia une photo de lui à dos d'éléphant. Pendant son absence, ma mère me raconta Mowgly, Bagheera la Panthère et Kaa le Python. C'était la première fois que j'en entendais parler. Je ne sais pas comment, les histoires de ma mère et le voyage de mon père se mélangèrent dans ma tête et je finis par croire que Kipling faisait partie de ma nouvelle famille indienne. Quand mon père revint, il avait une foule de choses extraordinaires à raconter. L'une d'elles, c'était la façon dont les hippopotames font caca. Ils sortent de l'eau et, tout en agitant leur queue à toute vitesse à droite et à gauche, ils expédient des jets de crottes dans toutes les directions. Selon une légende africaine – africaine, pas indienne, mais quand j'ai entendu cette histoire j'avais six ans et je ne savais pas la différence –, si l'hippopotame a pris cette habitude, c'est parce que Dieu l'a fabriqué en dernier, une fois tous les autres animaux créés, et qu'Il avait utilisé toutes les pattes, les queues, les yeux et les oreilles qu'il avait sous la main. Du coup, Il fut bien obligé de le modeler à partir des pièces restantes. Le résultat fut ce monstre bizarre, si gros que Dieu eut peur qu'il soit obligé de dévorer toute la nourriture qu'il y avait dans l'eau pour se remplir la panse, et qu'il mette ainsi en péril la survie des autres espèces. Mais l'hippopotame, lui, avait très envie de venir au monde et il promit à Dieu de se contenter d'herbe, de ne jamais manger de poisson. Aujourd'hui encore, pour prouver à Dieu qu'il a tenu sa promesse, il sort de l'eau pour faire caca et casse ses crottes avec sa queue. »

J'écrivais des rédactions abracadabrantes dans l'espoir de détourner l'attention des professeurs de mon ignorance. J'utilisais ce qui m'avait distraite moi-même de la leçon, mon imagination. Tactique qui n'a jamais trompé mes maîtres. « Vous n'avez pas fait ce qui vous était demandé. Au lieu d'étudier le texte, vous vous êtes appuyée sur votre imagination. L'école n'est pas le lieu pour cela. »

DIFFORMITÉ

À onze ans, j'ai eu une scoliose. Elle a été diagnostiquée par le médecin scolaire qui vérifiait si nous étions aptes à suivre les cours d'éducation physique. Avant cela, le seul exercice que nous pratiquions en classe était la marche en rangs, comme des soldats. J'étais en sous-vêtements dans la salle de gym, au milieu de la file d'écolières, quand le docteur m'a dit : « Prévenez vos parents que vous ne suivrez pas ce cours. Vous avez une scoliose, une déformation du dos. »

J'avais une déformation. Donc, j'étais difforme. La nouvelle m'anéantit. De fait, dans les deux ans qui suivirent, mon état empira. Rester plusieurs heures par jour pendue par le cou ne rétablit pas plus la situation que la gymnastique corrective, censée développer les muscles de mon dos et redresser ma déviation.

La scoliose est une rotation des vertèbres qui provoque une courbure du dos, laquelle décale la cage thoracique par rapport au bassin. Et tandis que mon dos s'incurvait peu à peu jusqu'à former un S, une de mes omoplates se mit à saillir et je commençai à boiter légèrement. Pour me consoler, ma famille disait qu'il me poussait une aile, mais je ne peux pas dire que c'était efficace. Par la suite, j'ai vu une fille atteinte d'une scoliose grave. On aurait dit une petite boule dans son lit. Ses poumons étaient tellement comprimés qu'elle ne pouvait même pas éteindre une allumette en soufflant.

C'est le professeur Alberto Ponte qui me soigna. Trente ans plus tard, il devait diagnostiquer chez Elettra une scoliose héréditaire. Il la soigne avec un traitement tout nouveau, nettement moins compliqué et douloureux que celui que j'ai subi.

J'étais attachée par le cou et les hanches à une machine spéciale qui m'étirait dans les deux sens en même temps. Une fois la longueur maximale atteinte, on m'enfermait dans un plâtre. Au bout de quelques semaines, mes veines et ma peau s'étant allongées, on me soumettait à une nouvelle traction. On me tirait encore un peu dans les deux sens et on me replâtrait. Tout cela était fait sans anesthésie générale ni locale, parce que la « correction maximale » dépendait de la traction que le patient pouvait endurer. Dans mon cas, on cessait quand je tombais dans les pommes. Le carcan allait de mes hanches à mon cou et remontait à l'arrière de la tête. Sous la pression, mes dents se serraient si fort que, pour éviter que ma dentition se déforme, je devais porter un appareil. Au bout de quatre mois de ce traitement, le S avait disparu et l'état de mon dos put être consolidé au moyen d'une greffe osseuse, prélevée sur ma jambe. Treize vertèbres furent traitées. Après l'opération, je dus passer six mois allongée, dans un corset de plâtre, pour permettre aux os de se souder. Et l'on me mit aussi un plâtre à la jambe, le temps que l'os se reconstitue. Quand je fus autorisée à me lever, je dus réapprendre à marcher. Enfin, six mois plus tard, on me retira le corset : ma tête ballottait au bout de mon cou comme celle d'un poulet mort et demeura ainsi jusqu'à ce que les muscles aient été rééduqués.

Ma maladie inquiétait beaucoup ma mère et elle chamboula tous ses plans. Elle cessa de jouer et resta auprès de moi pendant deux ans, jusqu'à ce que je sois rétablie. J'étais touchée de sa décision mais, en même temps, je me sentais coupable de l'empêcher de faire ce qu'elle aimait par-dessus tout. C'est peut-être à ce moment-là que j'ai appris que l'on peut désirer en même temps deux choses inconciliables : dans mon cas, que ma mère soit auprès de moi et qu'elle poursuive sa carrière. Et je pris la ferme résolution de ne jamais être un poids pour personne, résolution qui m'inspira la détermination et le désir d'être indépendante. Ce que je suis devenue.

Ma mère a évoqué ma scoliose dans son autobiographie et cela m'a flattée. La maladie, comme la honte et le chagrin, a cela de bon que vous suscitez la compassion autour de vous. Je me souviens d'un jour où, faisant semblant d'être endormie sur le divan du salon, j'ai entendu maman prévenir mon frère et ma sœur d'être particulièrement gentils avec moi. « Elle passe par un moment très dur. » Cela m'a confortée dans l'agréable sentiment de vivre quelque chose d'exceptionnel. Peut-être était-ce le premier pas vers la vie riche et passionnante que je m'étais juré de mener.

Cela dit, la maladie a ses côtés pénibles, la douleur par exemple. Comme on ne me donnait aucun analgésique, j'ai

appris à *me marbriser*. J'appelais ainsi le fait de passer mon corps en revue comme s'il n'était pas le mien. *Moi* concernait exclusivement mes pensées ; mon corps, lui, était un appendice que je pouvais ignorer. Cette faculté de détachement m'a été d'une grande aide lorsque j'ai été violée et battue. Des années plus tard, un soldat américain fait prisonnier pendant la guerre de Corée m'a décrit sa méthode pour supporter la torture. C'était assez semblable à ma *marbrisation*.

Évidemment, je suis fière d'être mannequin, je suis très fière d'avoir vaincu le destin, d'être passée de la difformité à la beauté, au point que l'on me décrit parfois dans les magazines comme l'une des plus belles femmes du monde. « Allez, ne fais pas ta modeste, remplace *parfois* par *souvent*. » Ça, c'est une de mes voix de l'au-delà qui vient d'ajouter son grain de sel, ma mère ou ma tante. Alors, je vais lui obéir et vous le redire comme elle l'entend : je suis très fière d'avoir vaincu le destin et d'être passée de la difformité à l'état de beauté, au point que l'on me décrit *souvent* dans les magazines comme l'une des plus belles femmes du monde. Je n'aime guère parler de ma maladie, parce que les gens, en général, s'attendent à ce que maladie, honte et douleur aient pour corollaire la sagesse, et moi, je n'ai pas l'impression que ma scoliose m'ait en aucune façon rendue sage. Quand on me demande : « Quelle leçon tirez-vous de vos deux années de maladie ? », je réponds que « la santé est ce qui compte le plus. Tous les jours, je remercie le sort de pouvoir marcher, voir, parler. » Mais, aussi vraie que soit cette déclaration, elle est bonne pour les journaux de bas étage, ceux qui prônent une philosophie de bazar, une culture de bazar, une musique de bazar et une gastronomie de bazar, et je rougis chaque fois que je l'énonce. Ce que la maladie m'a apporté, c'est avant tout une orgie d'émotions que j'étais bien incapable de comprendre et encore moins de gérer. Au début surtout.

Pendant des années, il m'a été impossible d'entrer dans un hôpital, de sentir une odeur d'armoire à pharmacie ou de rendre visite à un ami malade. Je refusais obstinément de côtoyer la maladie, la douleur ou le chagrin. J'avais pitié des gens qui souffrent, je les comprenais, mais à l'idée de les voir, la terreur s'emparait de moi, m'anéantissait, et je me sentais coupable.

Je n'ai compris l'épreuve que j'avais traversée que lorsque ma fille est tombée malade à son tour. Bizarrement, j'ai toujours la plus grande difficulté à reconnaître et à admettre les problèmes lorsque c'est à moi qu'ils arrivent. Je les vois parfaitement quand ils touchent les autres, mais dès qu'ils me concernent, je les néglige, parce qu'appeler à l'aide est ce qui m'est le plus difficile. Trait de caractère dont a hérité, je le crains, mon adolescente au cœur tendre. Comme moi, Elettra cherche toujours à faire plaisir, à ne gêner personne et à ne pas être un poids.

Si bonne santé et mémoire courte sont les conditions du bonheur, comme ma mère le soutenait, qu'en est-il de la mémoire génétique, celle à laquelle on ne peut échapper ? J'espère que cette maladie que j'ai transmise à ma fille ne lui fera pas croire – et à ses descendants non plus – que nous sommes maudits. J'espère aussi que le fait qu'elle frappe tant de gens nous aidera tous à nous sentir moins seuls.

ADOPTION

QUESTION : Quand vous regardez l'enfant que vous avez adopté, que ressentez-vous à l'idée que rien en lui ne vient de vos parents que le monde entier adorait ?

RÉPONSE : Le fait d'adopter un enfant crée un lien qui inclut mes parents, mais remonte beaucoup plus loin dans le temps, bien avant qu'ils n'existent, jusqu'à Adam et Ève.

Telle est la réponse qui a jailli de mes lèvres à cette question cruelle et indélicate. Elle m'avait blessée. Cela dit, j'ai été la première étonnée de mes paroles. L'espace d'un instant, j'ai cru que mon interlocuteur allait se moquer de moi. Remonter à Adam et Ève pour expliquer sa famille était quand même un peu tiré par les cheveux. Si j'avais eu le temps de réfléchir à la réponse, je ne sais pas ce que je lui aurais sorti, une flèche, peut-être, la monnaie de sa pièce, en somme, ou de longues et patientes considérations sur les gènes et les chromosomes, une définition rationnelle et argumentée de ce qui fait qu'une famille est réellement une famille. Mais, en l'occurrence, la réponse m'a échappé, comme la vérité jaillit de la bouche des enfants.

L'enfant adopté vous relie directement à l'humanité tout entière, et non plus seulement à vos gènes. Le mien me fait remonter aux racines mêmes de l'homme, créant en moi une impression de lien génétique. J'ai la sensation que ma main se tend bien au-delà de ma famille immédiate, qu'elle atteint des milliards et des milliards de gens. Comparé au fait d'engendrer un enfant – je le sais pour avoir mis au monde ma fille –, l'adoption comporte une dimension particulière : une relation au-delà de sa propre tribu s'établit, le champ de ce qui constitue l'amour, les liens, la famille s'élargit. C'est ce que j'appelle « un lien plus vaste », et j'ai été la première surprise d'en découvrir l'existence. Je ne m'y attendais pas plus que la majorité des gens, car on adopte généralement un enfant pour remédier au fait de ne pas en avoir, ou de ne pas en avoir autant que l'on voudrait. Or, l'idée seule de remède sous-entend une notion d'imperfection, de manque. Au lieu de cela, l'adoption a été pour moi comme de plonger dans une rivière d'abondance et d'amour, d'union et d'appartenance, de connexion avec l'humanité. Ce sentiment de « lien plus vaste » ne s'arrête pas au seul Roberto, il englobe également tous ses parents de sang – sa mère naturelle, son père naturel, ses grands-parents naturels : sa famille biologique, comme on dit. J'ai oublié ce que je pensais, avant d'adopter un enfant ou avant de l'envisager, des parents naturels qui abandonnent leur rejeton. En fait, je crois que je ne dépassais pas mes incessantes interrogations sur le bien-fondé d'une adoption quand on est une mère célibataire. Un petit a bien le droit d'avoir un père, non ? Serais-je capable de lui donner un réel sens de la famille, sans père à la maison ? Plus j'y pensais, plus je trouvais que ces questions étaient du même acabit que la sagesse populaire quand elle affirme : « Mieux être riche et bien portant que pauvre et malade. » Moi, j'avais envie d'un autre bébé et je savais qu'il y avait quelque part un enfant qui voulait une famille. Du point de vue de l'enfant, être adopté signifiait qu'au lieu de rester sans personne, au moins il m'aurait, moi, et ce serait déjà ça. Mais ce terme *sans personne* évoque une réalité si bouleversante que, bien souvent, on préfère la passer sous silence. Et les parents naturels, relégués dans le non-dit, sont effectivement oubliés.

Avant d'entamer les démarches, j'avais de l'adoption une vision que je juge aujourd'hui romantique, une vision à la Dickens. Je me représentais de petits Oliver Twist abandonnés pour toutes sortes de raisons, allant de la mère perverse et qui se fiche de l'enfant à celle qui considère l'avortement comme un crime, en passant par les toxicomanes ou celles qui sont terrifiées à l'idée de subir l'opprobre de la société. Je ne pensais pas « adoption », sans qu'aussitôt « abandon » me vienne à l'esprit. Roberto a changé tout cela. Quelle qu'ait été ma velléité de sauver un enfant, il l'a mise en pièces. J'ai dû mettre au rancart ma vanité et mon sentiment d'accomplir une bonne action.

Ils ont été remplacés par le sentiment clair et net de jouir d'un immense privilège : la possibilité de réaliser, sur le plan financier et émotionnel, ce que de nombreuses mères naturelles ne peuvent se permettre. Moi, bien que célibataire, je pouvais me permettre d'avoir un enfant : je ne serais pas excommuniée par mon milieu, je ne risquais pas de perdre mon emploi et, plus important, j'avais la certitude totale et absolue d'être en mesure de subvenir aux besoins de cet enfant jusqu'à son âge adulte et de lui procurer une bonne éducation. L'adoption m'a fait tomber du piédestal sur lequel m'avait élevée ma situation sociale privilégiée. Elle m'a confrontée à des réalités dont j'avais seulement entendu parler jusque-là, sans les éprouver. Elle m'a connectée à des mondes complètement différents. Encore une fois, c'est cela, ce sentiment de « lien plus vaste », et quand on me dit : « Quelle chance a Roberto d'avoir été adopté ! », j'ai l'impression que la plus chanceuse des deux, c'est moi. Je voulais un enfant et je me retrouve avec beaucoup plus. Je dois à Roberto un sens de la communion qui a ouvert une brèche dans le mur qui sépare classes, cultures et origines.

En revanche, je n'ai pas eu besoin de mon fils pour me sentir unie à toutes les femmes. Le pont de solidarité qui me relie à elles existait déjà en moi. Les femmes ont beaucoup à partager, y compris la terreur qui les saisit lorsqu'elles constatent que leurs sous-vêtements sont immaculés, alors que leurs règles devraient être là. Tomber enceinte n'a que trois issues, et pas une de plus : avorter, abandonner son enfant ou l'élever.

« Comment ! Tu es en contact avec la mère naturelle ? ! Mais qu'est-ce que tu feras si elle déboule sur ton palier ? » me demande-t-on, horrifié. Et alors ? Qu'est-ce qui vous dit que nous aurons nécessairement des rapports de haine ? Cette notion de « lien plus vaste » inhérente à l'adoption m'aide tous les jours à montrer de la décence, de la tendresse et de l'intérêt pour autrui. Le fait de savoir que Roberto est aimé, qu'on s'occupe bien de lui, ne peut que calmer les angoisses de la mère naturelle, apaiser ses remords et adoucir son chagrin, sans nécessairement l'inciter à entreprendre quelque chose contre moi. De mon côté, n'est-ce pas le minimum que je doive à la mère biologique de mon fils ? Pour Roberto, enfin, le plus beau cadeau du monde ne sera-t-il pas de savoir qu'au lieu de l'abandon et de la négligence, il y a l'amour et l'attention, qu'au lieu de la honte, il y a la dignité, qu'au lieu du secret, il y a l'amitié ?

« Tu n'as pas peur qu'elle veuille le reprendre, ou bien que lui, il veuille être son fils à elle, et non plus le tien ? » De toute façon, c'est inéluctable. Bien sûr qu'elle éprouvera ces sentiments. Et Roberto aussi. Nous devrons tous les trois supporter ce fardeau. Ce sera difficile, mais est-ce que ce n'est pas toujours difficile avec les gens qu'on aime, avec ceux dont le bonheur vous importe davantage que le vôtre ?

« L'actrice et mannequin Isabella Rossellini, fille d'Ingrid Bergman et de Roberto Rossellini, surprise dans la rue avec sa fille Elettra et son fils adoptif Roberto. » C'est toujours ainsi que nous décrivent les légendes sous les photos des *paparazzi*. Et le mot « adoptif » n'est pas employé dans le seul but d'informer le lecteur. Cela m'inquiète et me fait mal. Roberto souffrira-t-il de l'hypocrisie qui entoure l'adoption ? Un jour, quand je lui présentais mes enfants, une femme m'a demandé : « Lequel est le vrai ? » J'en suis restée bouche bée. Je me suis consolée en me disant qu'elle ignorait tout du sujet, et que, une fois informée et nous connaissant mieux, elle comprendrait.

On m'a rapporté que des gens auraient dit : « Isabella n'a aucune idée de ce qu'elle a fait. C'est la porte ouverte aux problèmes de la rue et aux conflit raciaux. Sa fille en pâtira. » Roberto, en effet, est métis. Mais moi, je n'ai jamais souffert d'avoir été élevée dans une famille où les sangs étaient mêlés, au contraire ! Il m'a toujours paru que c'était un privilège. J'unis en moi le Nord et le Sud de l'Europe, Scandinavie et Méditerranée. Ma mère était mi-allemande, mi-suédoise. Ma sœur Raffaella est moitié italienne et moitié indienne, et Gil, qui est cent pour cent indien, a été adopté par mon père. Il y a aussi mon neveu Alessandro, fils de mon frère aîné, le premier à avoir fait de mon père un grand-père. Lui, il a pour mère une Noire américaine. Renzo a des enfants plus jeunes, à moitié juifs, eux. Nous avons encore du sang irlandais et du sang russe dans les veines. Si vous nous voyiez tous en rang d'oignon, vous ne croiriez jamais que nous sommes de la même famille. Petite, je nous trouvais déjà très avant-gardistes, évolués, en avance sur notre temps, quand je voyais les autres familles engluées dans les préjugés raciaux.

Chez nous, les traditions de chacun enrichissaient la vie de tous, même si les coutumes italiennes, indiennes, suédoises, américaines étaient les plus fortes. Les françaises l'étaient aussi, alors qu'en fait, aucun de nous ne peut se vanter d'avoir une goutte de sang français. Mais c'est le pays dans lequel nous avons presque tous vécu à un moment ou un autre de notre vie. Paris plus que Stockholm est ma ville de prédilection.

Au moment de remplir les innombrables dossiers d'adoption, dans la case *préférences raciales* j'ai inscrit : « N'importe laquelle, de préférence non blanche. » Ne me considérant pas comme blanche moi-même, je tenais à poursuivre la tradition familiale de sang mêlé. Je n'ai pas l'impression que mon sang suédois ait effacé les autres. Aux États-Unis, on appelle les Américains du Sud des *Latinos*. En Europe, les Latins sont les peuples qui parlent des langues issues du latin : les Espagnols, les Portugais, les Français, les Italiens et les Roumains. Il m'a fallu un certain temps pour comprendre qu'en Amérique je ne pouvais pas me prétendre *latino*, même si mes ancêtres viennent des bords de la Méditerranée, tout comme les conquistadors. Quoi qu'il en soit, en anglais, le mot *latino* n'indique pas la race, il dénote le préjugé.

J'ai l'impression que mes enfants m'étaient destinés. Je n'ai pas le sentiment d'avoir choisi Roberto, même si c'est le cas puisque je l'ai adopté. Je n'ai pas davantage le sentiment d'avoir choisi Elettra, sous prétexte qu'étant ma fille naturelle, elle a reçu mes gènes et ceux de son père. En fait, à mon sens, ce qui constitue la famille, c'est la communauté de destin. Je n'ai pas choisi mes parents. J'étais destinée à être la fille d'Ingrid et de Roberto, la sœur de Romano, de Renzo, de Pia, de Roberto, d'Ingrid, de Gil et de Raffaella. Que je le veuille ou non, ce sont eux ma famille. Elettra a les yeux bruns. Comme elle est blonde et très pâle de peau, nous nous attendions tous à ce qu'elle ait les yeux bleus, d'autant que son père, Jonathan, et ses parents Fred et Flo, les ont de cette couleur. Comme ma mère, alors que les miens sont noisette. Mais papa avait les yeux bruns et c'est de lui qu'Elettra tient les siens. Roberto, lui aussi, a les yeux bleus, et pourtant il est en partie noir américain. Et je lui dis pour rire : « Mon petit Noir est en train de virer au Suédois. » Le côté « à l'aveuglette » de la transmission des caractères génétiques est ce qui rend l'hérédité romantique et miraculeuse.

J'espère que Roberto et Elettra auront été dans ma vie des décisions sages, intelligentes et dont je peux me vanter. Mais ils ne sont pas mes choix, ils sont mes enfants.

DES TOMBES ET UN TESTAMENT

Pendant des années, j'ai refusé d'écrire mon testament, persuadée que le simple fait d'apposer ma signature en bas de la page me tuerait sur-le-champ. Mais la raison a fini par l'emporter. C'est ma responsabilité envers mes enfants qui m'a déterminée, mais aussi une modification radicale et inattendue de ma superstition. Quand on dit les choses tout haut, ai-je pensé, on est sûr de voir l'inverse se produire. Pendant un tournage, par exemple, si quelqu'un déclare : « Ça va faire un malheur ! », c'est que le film sera un bide. Cette seule phrase peut tout faire capoter. Appliquant cette règle à ma propre personne, je me suis dit que parapher mes dernières volontés prolongerait peut-être ma vie au lieu de l'écourter.

Je suis donc allée chez le notaire. Et là, je me suis passionnée pour la chose. Il y a tant de façons de léguer son argent, tant de gens que je souhaitais faire profiter du mien : mes amis, les récents et ceux de toujours ; les membres de ma famille, nés ou encore à naître (en Amérique, on peut créer un fonds de soutien pour ses petits-enfants à venir) ; mes employeurs, mes employés, et même des personnes que je trouvais formidables, mais que je ne connaissais pas depuis suffisamment longtemps pour les considérer comme proches. J'avais l'impression que c'était Noël, quand on achète les cadeaux et qu'on se donne du mal pour choisir quelque chose d'inattendu et qui fasse plaisir. Bref, concocter mon testament me prit des semaines. La dernière page signée, j'étais tellement anxieuse de connaître les réactions de mes amis que j'eus presque envie de mourir sur-le-champ. Je conjurai aussitôt cette pensée à l'aide d'une bonne dose de *corna* et, ce faisant, une idée me vint à l'esprit : si je ne désirais pas mourir, mes proches, eux, pouvaient souhaiter ma disparition... Par curiosité, pour découvrir ce que je leur avais légué. Mon espérance de vie en serait-elle affectée ? Je réfléchis et décidai de ne parler à personne de mon testament, ni de mes intentions. De ne même pas mentionner en quoi consistaient mes biens. J'optai pour l'*omertà*, le silence impénétrable qu'opposent à la police les victimes de la mafia. C'était ça la solution, l'*omertà*. De sorte que je ne vous dirai rien de mes dernières volontés, sauf une, dont je ne suis pas peu fière.

Elle concerne le lieu de ma future sépulture et la façon dont je veux être enterrée. Il faut un sacré culot, vous savez, pour prendre cette décision. Même Anna Magnani, la femme la plus culottée et terre à terre de toute l'histoire du cinéma, n'a pas eu la force de s'acheter une tombe. Et elle a atterri dans la chapelle funéraire de notre famille au cimetière Pincetto de Verano, le temps que son fils Luca lui trouve un séjour définitif.

Notre chapelle au Pincetto faisait l'envie de tous. C'est mon arrière-grand-père Nonno Zeffiro (le copain de Garibaldi) qui a acquis la concession pour tous ses descendants, dans la partie chic de ce vieux cimetière de Rome. Une concession à perpétuité, dit-on dans la famille, mais j'ai bien peur que perpétuité et éternité ne soient pas synonymes. Ça signifie quoi, la perpétuité, en langage juridique ? Dix ans, deux cents ans, à tout jamais ? Je ne serais pas surprise qu'un de ces jours on déterre tout le monde, cercueils pourris et vieux ossements. Enfin... en attendant, les gens trouvent notre chapelle enviable et très distinguée. C'est la seule gloire que personne ne nous conteste.

Nuzza, notre nurse quand nous étions petits, a tenu elle aussi à être enterrée là. Pas pour rester près de nous, mais pour le prestige social que procure une tombe au Pincetto. Elle s'est choisi un *fornetto* (une niche) dans le mur épais où les corps s'étagent sur cinq rangées. Quand les visiteurs veulent dire bonjour à leurs morts tout en haut, ou déposer des fleurs dans les réceptacles prévus à cet effet, ils montent sur une grande échelle qui court le long du mur, comme dans les bibliothèques.

Nuzza s'est montrée très stricte quant à l'emplacement de son *fornetto*. Elle a choisi un pan du mur qui reçoit le soleil, pour que ce soit moins déprimant. « Entre un médecin et un avocat ! » m'annonça-t-elle fièrement. « Des professions libérales ! » Et sa moue de dédain en disait long sur les sans-emploi, voleurs et autres bons à rien que fréquentaient mes parents. « Des sangsues qui profitent de la *Signora* et du *Dottore* », comme elle les appelait. Elle était contente de savoir la niche de l'avocat toujours fleurie. Une fois, au cimetière, nous sommes tombées sur sa veuve et Nuzza l'a apostrophée : « Pensez aussi à moi, madame. Apportez-moi donc une petite fleur quand je serai à côté, parce que si je compte sur les Rossellini, je peux toujours courir. Même les enfants m'oublieront, après tout ce que j'ai fait pour eux. » « C'est pas vrai, Nuzza ! Moi, je t'aimerai toujours ! » ai-je protesté, mais, au fond de moi, je savais qu'elle avait raison. Je savais que je n'irais pas visiter sa tombe. Une fois peut-être, oui, mais ce serait tout. Elle n'est pas encore morte que je néglige déjà de lui téléphoner. Elle vit en Sardaigne et, bien que je lui aie promis un nombre incalculable de fois d'aller la voir, je ne l'ai encore jamais fait.

C'est Nuzza qui m'a appris à ne pas avoir peur des morts. Elle n'a pas usé de paroles, technique qui s'est toujours montrée inopérante, mais a employé l'expérience physique, et la leçon s'est gravée en moi de façon indélébile. Une fois, au cimetière, elle a délibérément laissé passer l'heure de la fermeture des grilles, à la tombée de la nuit. Voyant mon angoisse dégénérer en panique, elle m'a déclaré : « Tu n'as rien à craindre des morts, qui ne peuvent plus faire de mal à personne, méfie-toi plutôt des vivants ! »

Ces mots m'ont donné la force nécessaire pour surmonter ma frayeur des tombes et des cimetières, des cadavres et des enterrements. Maintenant, j'aime bien passer une journée à nettoyer la chapelle. Plus que les anniversaires que je célèbre en grande pompe, c'est une activité qui renforce les liens familiaux. Je pars pour le cimetière munie d'un panier de fleurs, d'Ajax, d'éponges, de Glassex et d'insecticide. À cause des fourmis. Ça bouffe tout, vous savez, et je saupoudre toujours une petite sente de poison tout autour de l'emplacement des cercueils.

Au cours d'une de ces visites au cimetière, ma tante, Zia Marcella, m'a révélé un trait de la personnalité d'Anna Magnani. Car je ne l'ai pas véritablement connue, moi, bien que nous la considérions un peu comme faisant partie de la famille, comme une parente éloignée ou une amie très proche, si vous voyez ce que je veux dire. Je ne l'ai vue qu'une fois, quand papa m'a emmenée chez elle. J'étais dans mes petits souliers. Parce qu'elle était une star et que ma maman lui avait volé mon papa. Je savais qu'elle en avait terriblement souffert, qu'elle avait jeté à la tête de papa cet incontournable plat de spaghettis dont parlent toutes leurs biographies. Une histoire rabâchée que j'ai même retrouvée dans un essai sur le cinéma italien. Vous ne la connaissez pas ? Eh bien, je vais vous la raconter.

Papa s'apprêtait à tourner *Stromboli*, son premier film avec ma mère. Maman lui avait écrit pour lui dire qu'elle aimerait travailler avec lui et, dans sa conviction que parler plusieurs langues vous ouvre toutes les portes, elle avait spécifié : « Je parle suédois, allemand, anglais, français, mais en italien je ne connais que *ti amo*. » Elle ne disait pas cela par prémonition, comme l'histoire d'amour mythique de mes parents tendrait à le faire croire, mais parce que c'était la vérité vraie : c'étaient les deux seuls et uniques mots d'italien que maman savait dire. Elle avait écrit cela parce qu'elle admirait mon père et voulait tourner avec lui. Papa, quant à lui, n'était pas peu fier d'avoir impressionné la grande star d'Hollywood. Anna, on s'en doute, voyait ça d'un mauvais œil. Elle se trouvait avec papa à Amalfi pour le week-end, à l'hôtel Luna. Papa prévint le concierge qu'il attendait un télégramme de Los Angeles et demanda qu'on le lui remette discrètement, en l'absence d'Anna. Mais cet imbécile lui fit un gros clin d'œil tandis qu'il traversait le hall pour se rendre au restaurant avec Anna et celle-ci comprit alors qu'il y avait anguille sous roche. À table, ils commandèrent des spaghettis. Tout en les remuant, elle demanda d'un ton amusé : « Je rajoute un peu de sauce, Roberto ? Tu veux un peu plus d'huile d'olive ? Du parmesan, peut-être ? » Et quand les pâtes furent fin prêtes, elle renversa le plat sur la tête de papa, sonnant ainsi le début de la fin de leur liaison. Ou bien était-ce déjà le dernier acte, je ne me souviens plus très bien. J'ai entendu si souvent cette histoire que j'en ai une indigestion. Quoi qu'il en soit, papa et Anna se sont séparés peu après. Maman et papa ont tourné le film ensemble, se sont aimés, se sont mariés et nous ont conçus... Enfin, pas tout à fait dans cet ordre. Disons que cela s'est passé de façon un peu plus brouillon, mais le résultat est le même.

On comprend donc que j'étais terrorisée lorsque papa m'emmena voir Anna. Je l'avais vue au cinéma, solide, forte en gueule, le juron aux lèvres, refilant des paires de claques aux messieurs. J'avais peur qu'elle me déteste, étant donné ce que maman lui avait fait. J'ai gardé les yeux baissés pendant toute la visite et je n'ai pas desserré les dents, priant pour que papa ne s'éternise pas. Du coup, je n'ai rien vu de son appartement ni de son apparence. En revanche, j'ai constaté qu'elle portait des mules. Très féminines et totalement incongrues par rapport à son personnage : en satin, avec un petit talon. La maison était remplie d'animaux qui venaient se frotter à ses jambes. Des chats surtout, notamment un très beau persan au poil épais. Mais il y en avait d'autres, dépenaillés, à l'air misérable, qu'elle devait avoir ramassés dans la rue, et d'autres encore, probablement issus de l'activité incessante qui devait se dérouler dans les profondeurs de l'appartement. Dans un coin, sur une couverture, un jumeau du Grand Méchant Loup dans *Le Petit Chaperon rouge* grognait chaque fois que je le regardais. C'était Micia, la chienne d'Anna et de papa quand ils vivaient ensemble. Je la reconnus pour l'avoir entraperçue dans *La Voix humaine*, d'après Jean Cocteau. Pourtant, elle aurait dû être morte depuis longtemps à cette date, ce devait être son fantôme que j'ai vu ce jour-là. Anna m'a certainement pincé la joue, comme le font les grandes personnes pour témoigner leur affection aux enfants mais, de l'au-delà, la fidèle Micia n'a cessé de grogner. Pour me faire comprendre que d'autres sentiments planaient dans la pièce, même si Anna ne les manifestait pas. La chienne n'avait pas oublié le chagrin de sa maîtresse, causé par ma maman et mon papa.

Chez nous, on ne parlait d'Anna Magnani que pour célébrer son talent, ma mère la portait aux nues. Et, jusqu'à la réflexion de Zia Marcella au cimetière, je n'avais jamais entendu personne dire quoi que ce fût contre elle. Comme le cercueil d'Anna, en dépôt temporaire dans la chapelle, encombrait tout l'espace, Zia Marcella ne put s'empêcher de maugréer : « Vu qu'elle se mettait toujours en avant dans la vie, pourquoi veux-tu qu'elle change dans la mort ! »

À propos d'Anna Magnani, je me souviens aussi des lamentations de mon cousin Franco au musée d'Art moderne de New York, durant la rétrospective qui lui fut consacrée bien des années après sa mort. Je n'ai pas oublié la honte qui me figea dans mon fauteuil en entendant ses « Ah, Zia Anna, ma chère, ma si chère tante !... » Franco adorait étaler ses relations avec les gens célèbres. On n'a jamais vu de faire-part de décès où l'on cite les parents défunts du disparu. Sauf ceux de Franco, qui portaient la mention : « Précédé dans la mort par sa tante Ingrid Bergman. » Au musée, disais-je, statufiée dans mon fauteuil, je n'osais plus battre d'un cil, ni seulement respirer. Je me sentais envahie par une rigidité toute cadavérique. Sensation de *rigor mortis* que Franco a souvent suscitée en moi. De son vivant, comme après sa mort.

Je me rappelle ses gémissements de pleureuse arabe au festival de Cannes, pendant la projection de *Jeanne au bûcher*. Ce film de papa d'après l'oratorio de Paul Claudel, dont la musique est signée Arthur Honegger et dans lequel jouait maman, avait été égaré pendant près de vingt-cinq ans et retrouvé, par le plus grand des hasards, sur l'étagère d'un laboratoire de Turin. Le gouvernement italien l'avait fait restaurer et il était présenté à Cannes en grande pompe. À la sortie, la presse nous attendait, mon frère et moi, comptant nous trouver la larme à l'œil. Et, de fait, nous étions émus. Mais Franco nous suivait à la trace. Fourrant sa tête entre les nôtres pour ne pas risquer d'échapper à la caméra, il réédita ses simagrées : « Ah, tante Ingrid... Oh, oncle Roberto !... » Le tout assaisonné de larmes et de reniflements, mouchoir à l'appui, mains au ciel et pâmoison de circonstance. La *rigor mortis* nous a frappés comme la foudre, Roberto et moi, tellement nous étions gênés. Et quand nous nous sommes vus aux informations ce soir-là, avec notre air rigide et glacé et nos grognements monosyllabiques, nous nous sommes crus sortis d'un film d'horreur. Ah, nous étions bien la preuve que les rejetons des génies et des stars ne sont que des névrosés, des débiles, des sans-cœur et des snobs ! Merci, Franco !

Enchanté de créer la confusion, il n'hésitait pas à se montrer odieux, même avec les petits. Au point que ma fille, outrée par ses moqueries constantes et par le rapt de son chien adoré, m'a demandé : « Dis, Franco est vraiment ton cousin au premier degré ? Il ne pourrait pas l'être au dernier ? »

Voyant Franco décliner, nous fîmes venir un prêtre pour lui donner les derniers sacrements. Bien qu'à l'agonie, le plaisir de commettre un ultime méfait lui fit retrouver sa voix. « Je veux me confesser », déclara-t-il sur un ton qui ne laissa pas de m'inquiéter, alors que je m'apprêtais à quitter la pièce. Puis il enchaîna : « Vous qui êtes dominicain, mon père, vous connaissez forcément monseigneur Untel. Quel saint homme ! Vous savez que j'ai eu une aventure avec lui ? »

Une demi-heure plus tard, le prêtre est ressorti, pâle comme un linge et confondu. S'épongeant le front, il a répondu à mes salutations par des bredouillements et s'est enfui sans demander son reste. Quand je suis retournée dans la chambre, Franco avait un sourire angélique aux lèvres, le visage serein et satisfait.

Et comme si tout cela ne suffisait pas, Franco a encore réussi à me frapper de *rigor mortis* une fois mort. Quand je me suis aperçue, ô horreur, que j'avais complètement oublié ce que nous avions fait de ses cendres. Il nous a laissé tant d'instructions à ce propos que je crois bien que nous les avons égarées. Ce qui est sûr, c'est qu'il n'est pas au Pincetto. Au risque de paraître monstrueuse, j'affirme que, là où il est, nous embarrasser pour l'éternité n'est sûrement pas pour lui déplaire.

Mais *i miei morti* ne l'entendent pas de cette oreille et ils s'unissent en un chœur de protestations : « Arrête, Isabella, ça suffit ! Tu n'as pas d'autre sujet de conversation que Franco, ses cendres, son âme et les tours qu'il a joués ? Par amour de l'exagération, tu dénigrerais n'importe qui ! » C'est bon, c'est bon, je me tais. Mais je ne crois pas que j'exagère... À moins que je n'aie tout inventé... Ce qui n'est pas impossible, me connaissant. Dans ce cas, mieux vaut peut-être admettre que j'ai menti sur la disparition des cendres de Franco. Pour éviter la honte à ma famille...

ZIA MARCELLA ET L'AU-DELÀ

Quand Zia Marcella est devenue vieille, je lui ai fait promettre, une fois qu'elle ne serait plus là, de m'indiquer par un signe si la vie continuait sous une forme ou une autre après la mort. Elle pouvait m'envoyer un rêve, un signe métaphysique, n'importe quoi. Je serais aux aguets, prête à le recevoir. Elle nous a quittés depuis et quelque chose me tournicote dans la tête, je le sens. Je ne sais pas comment ça y est entré, mais je sais que c'est en rapport avec Zia Marcella. Si je devais transcrire cette sensation sous forme de conversation, cela donnerait à peu près ceci :

ZIA MARCELLA : Tu es triste parce que tu crois que nous ne sommes plus. Tu as la sensation du passé, du présent et de l'avenir, mais cette perception du temps est humaine et limitée. En vérité, on ne peut pas dire que nous avons été et que nous ne sommes plus, car le temps n'existe pas.

ISABELLA : Tu es, en ce moment ?

ZIA MARCELLA : Ne sommes-nous pas toujours auprès de vous ?

ISABELLA : Seulement dans mes conversations imaginaires avec vous tous, mes morts. Ainsi, ce serait la preuve que l'au-delà existe, qu'il y a une vie future ? Ce serait aussi bête que ça ?

ZIA MARCELLA : Et pourquoi pas ? Les grandes questions ont des réponses toutes simples.

ISABELLA : Mais tu n'es plus. C'est bien pour ça que je m'invente des conversations avec toi, pour compenser mon manque.

ZIA MARCELLA : Je ne suis pas sûre qu'il ne s'agisse que d'inventions. Ne rabaisse pas ton humanité, n'en sois pas dupe non plus. Tu dis que le passé n'est plus parce qu'il n'existe plus...

ISABELLA : Oui.

ZIA MARCELLA : Mais on peut dire la même chose de l'avenir. L'avenir n'étant pas encore là, il n'existe pas non plus.

ISABELLA : C'est exact.

ZIA MARCELLA : Tu sens le présent ?

ISABELLA : Oui.

ZIA MARCELLA : Comment peux-tu sentir quelque chose qui se trouve entre deux choses qui n'existent pas ?

Luciano, mon ami philosophe, intervient toujours quand je tiens ce genre de conversation, car ce sont des thèmes qu'il étudie quotidiennement.

LUCIANO : Ta tante a raison. Prends le paradoxe des jumeaux d'Einstein. Il était une fois des jumeaux qui passèrent vingt ans de leur vie ensemble. À l'école, pendant les vacances, quand ils sortaient, ils étaient inséparables. Un jour, l'un d'eux trouve un emploi dans une banque, tandis que l'autre monte à bord d'un

Grand-mère Elettra avec mon père, mon oncle et Zia Marcella.

vaisseau spatial et s'envole parmi les étoiles. Vingt ans plus tard, se languissant de la Terre, l'astronaute redescend et retrouve son frère, âgé de quarante ans et directeur de la banque. Alors que lui-même n'a que vingt-cinq ans d'âge. Pourquoi ? Parce que, selon Einstein, si tu te meus à une vitesse suffisante, le temps ralentit et finit par s'arrêter.

ISABELLA : J'ai du mal à croire qu'Einstein ait expliqué les choses comme ça. Je ne sais pas ce qu'il a dit, mais c'était sûrement plus intéressant. Si tu tiens à passer pour un philosophe, tu devrais cesser de raconter des bêtises.

LUCIANO : Pourtant, c'est bien ce qu'il a dit, même si tu l'ignores.

ISABELLA : En d'autres termes, si je me mets à courir à toute vitesse, je ne vieillirai plus ?

LUCIANO : Exactement, mais il faut courir vraiment vite. À la vitesse de la lumière, 300 000 km à la seconde.

ISABELLA : Sauvées !... Lancôme ! Cessez immédiatement les recherches sur les crèmes antirides et occupez-vous de trouver pour les femmes un moyen de courir très très vite.

LUCIANO : Imagine que je t'appelle au téléphone de l'étoile la plus proche de la Terre, Alpha du Centaure, qui est à quatre années-lumière de chez nous. Quand je dirai « Allô », il te faudra quatre années de ton temps pour me répondre : « Qui est à l'appareil ? » Mon « C'est Luciano » te parviendra quatre ans plus tard et il te faudra encore quatre ans de plus pour me dire : « Comment vas-tu ? »... Même si nous trouvions le moyen de nous propulser aussi vite que la lumière, il faudrait seize années de notre temps terrestre pour échanger quatre phrases en tout.

ZIA MARCELLA : Luciano, fais comprendre à Isabella que l'éternité n'est pas une succession de siècles, comme elle le croit, mais le temps immobile.

ISABELLA : Qu'est-ce que c'est que ça, encore ?

LUCIANO : Tu ne comprendras pas, Isabella, ou plutôt, tu n'auras pas la patience d'apprendre. Tous, à différents degrés, nous devons vivre avec des questions auxquelles nous n'avons pas de réponse. Et plus tu t'interroges, plus tu trouves de questions.

Ça y est, Luciano commence à me torturer avec ses rengaines philosophiques.

LUCIANO (suite) : Pour moi, le point d'interrogation est le symbole du bien, alors que le point d'exclamation est le symbole du mal.

Le point d'interrogation est positif, ouvert à la discussion, prêt à changer, hautement démocratique. Le point d'exclamation est dangereux, rigide, intransigeant, à l'origine d'une foule de disputes, de guerres et de conflits. Toi, tu es une personne d'ordre et, pour cette raison même, tu connaîtras toujours des conflits... Prends les hommes dont tu tombes amoureuse.

ISABELLA : Qu'est-ce qu'ils ont ?

LUCIANO : Ils sont monstrueux.

ISABELLA : Le père d'Elettra ? Il est plutôt bel homme.

LUCIANO : Je ne parle pas de leur physique. Ton Gary, par exemple, est toujours en train de jouer toutes sortes de mauvaises gens. Dracula, ce dingue de Sid Vicious, Lee Harvey Oswald...

ISABELLA : Ça n'a rien à voir avec lui comme individu. Un comédien peut incarner un saint dans un film et un assassin dans le suivant, sans pour autant être l'un ou l'autre dans la vie. Et je te signale qu'il a aussi été Beethoven.

LUCIANO : Mais s'il a été choisi pour faire Dracula, c'est bien qu'il y a une raison. Tu sais, entre l'ordre et le désordre, il y a toujours eu attirance. Toi, tu appartiens évidemment au monde de l'ordre, par ta mère probablement qui, étant suédoise, devait être incroyablement ordonnée. Je te connais depuis des années, je sais que dans ton travail, tu es toujours à l'heure, toujours préparée, très professionnelle comme on dit. Parfois tu me donnes l'impression d'être trop attentive, trop désireuse de bien faire, comme si tu avais peur qu'on te gronde.

ISABELLA : C'est vrai que je ferais n'importe quoi pour ne pas me faire disputer.

LUCIANO : Tu vois que tu es une créature d'ordre. Et ton destin sera toujours d'aimer des hommes de désordre.

ISABELLA : Je ne comprends pas, c'est juste que j'aime les gens imprévisibles, originaux.

LUCIANO : Ça va, Isabella, tu sais très bien de quoi je parle. Tu ne les aimes pas originaux, mais carrément déboussolés, et ce n'est pas leur gentillesse ou leur humanité qui t'attire. J'aurais peur de te présenter Jack l'Éventreur, tu le mettrais immédiatement dans ton lit. Mais écoute-moi, je suis sérieux : si tu agis ainsi, ce n'est pas par hasard. Si je mets un peu de lait dans une tasse de café, qu'est-ce que j'obtiens ?

ISABELLA : Du café au lait.

LUCIANO : Exact, mais pourquoi ?

ISABELLA : Parce que c'est la recette du café au lait.

LUCIANO : Parce que la nature tend à l'amalgame. Les molécules de café et de lait ne restent pas dans la tasse à s'observer comme deux brigades ennemies avant la charge, elles se mélangent. Et une fois qu'elles se sont associées, elles ne reprennent plus leur état initial. Il en est du café au lait comme de tout le reste. Le désordre est irréversible. C'est une tendance générale de l'univers. Le café au lait est une contribution au désordre.

ISABELLA : Si je comprends bien, je suis amoureuse de ce type d'homme parce que tout dans l'univers tend irrémédiablement à s'associer et que je crée du désordre à partir de l'ordre ?

LUCIANO : Un jour, l'univers ne sera plus qu'un gigantesque cappuccino. Tôt ou tard, la matière aura disparu. Tout ne sera plus qu'un monumental capharnaüm où les protons eux-mêmes ne conserveront plus leur intégrité. Il n'y aura plus opposition entre la force de gravité, la force électromagnétique et la température... Il n'y aura plus de raison que la matière existe...

Et ça peut durer des heures. Cependant, n'allez pas croire que Luciano ne se préoccupe que de philosophie pure. En dehors de nos échanges éthérés, nous en avons eu d'autres, bien plus charnels et terre à terre. J'avais dans les vingt ans, lui environ cinquante. Je lui ai dit : « Luciano, c'est la première fois que je couche avec quelqu'un d'aussi vieux. » Il m'a rétorqué : « Moi aussi ! » Alors, vous voyez qu'il ne fait pas que voler dans les hautes sphères, il est aussi humain, trop humain. Si vous lui demandez : « Vous trouvez qu'Isabella est une femme attirante ? », il vous répondra : « Ah bon, c'est une femme ? » Parce que, voyez-vous, nous avons maintenant des rapports d'homme à homme, comme il aime à le dire. Du temps de nos rapports d'homme à femme, son éditeur me suppliait : « Faites-le souffrir ! L'effet homard marche très bien sur lui. » Les bonnes cuisinières prétendent que plus le homard souffre, meilleure est sa chair, moyennant quoi, il faut les plonger dans l'eau bouillante *vivants*. Et là, il s'agissait d'inciter Luciano à devenir meilleur philosophe. C'est pour fuir la réalité qu'il s'immerge dans les grandes questions. Par ma jeunesse et ma cruauté, je contribuais à le faire s'envoler dans une dimension supérieure. Pourquoi existons-nous ? Qu'est-ce que l'univers ? Qu'est-ce que l'éternité ? Est-ce que Dieu existe ? En général, Luciano n'a pas la réponse.

LUCIANO : Et alors ? J'appartiens à l'école de ceux qui cherchent sans trouver.

ISABELLA : Pas très rigolo, ton club.

LUCIANO : Erreur. La joie n'est pas dans le fait d'avoir atteint le sommet, mais dans l'ascension de la montagne, sinon les alpinistes se feraient déposer là-haut en hélicoptère.

ISABELLA : Tu ne crois pas que c'est la foi qui pousse les hommes à aller de l'avant ? Les croyances, les convictions ?

LUCIANO : Pas la foi, le doute. Qui est à l'origine de la curiosité, la force qui nous meut. C'est pour cela que je vénère le point d'interrogation.

ISABELLA : Le produit de mon imagination est-il illusoire ou est-ce une vérité supérieure ? Crois-tu qu'il y a une vie après la mort ou qu'il y a le néant ?

LUCIANO : C'est la question qui me préoccupe le moins, car d'ici quelques années, j'en connaîtrai la réponse. Tout ce que j'ai à faire, c'est me détendre et attendre. Quant à Dieu... Il existe, pour toi ?

ISABELLA : Peut-être.

LUCIANO : Dans ce cas, que faisait-Il avant de créer l'univers ?

ISABELLA : ? ? ?

ZIA MARCELLA : Un proverbe chinois dit que le ciel est bleu de tous les soupirs que nous laissons échapper en face de ces questions insolubles.

ISABELLA : Zia Marcella, j'ai une question pour toi. Dis-moi comment finir ce livre. Je croyais que je savais écrire...

ZIA MARCELLA : C'est une perte de temps que de chercher une fin, parce qu'il n'y en a pas. Et quand tu prends conscience qu'il n'y a pas de fin, tu comprends qu'il n'y a pas de commencement non plus. Déjà tes premières pages étaient inutiles...

ISABELLA : Qu'est-ce que je fais, alors ? Je commence et finis mon livre par une phrase inachevée ?

ZIA MARCELLA : Oui, ce n'est pas une mauvaise idée.

Je vais vous dire, les membres de ma famille, ces *monstres sacrés* comme on dit en français, n'ont pas besoin d'être sacrés pour être des monstres. D'abord, ils m'épuisent avec leur babillage incessant dans ma tête ; ensuite, il faut toujours qu'ils ajoutent leur grain de sel à tout ce que je fais. Moi, je dois résoudre le problème de l'éternité, l'éternité des gens qui sont sur terre, pas celle avec laquelle ma tante prend plaisir à me brouiller les idées, la vraie, celle à laquelle on doit faire face quand on perd ses parents. Mes sœurs, mes frères et moi avons été confrontés à un problème inhabituel, le poids de la mémoire collective, et nous avons dû le régler.

L'ÉTERNITÉ SUR TERRE

Le fait de continuer d'exister dans la mémoire des gens est-il un antidote à la mort ? La célébrité équivaudrait-elle à une sorte d'éternité ? Serait-elle un remède à la douleur de la séparation? Le fait de voir ma mère tous les jours à la télévision, souriante ou en larmes, marchant, parlant, me rend-il sa disparition moins... définitive ? Et papa alors, lui que je ne vois pas à la télévision, dont je n'entends pas la voix, mais dont je peux toucher les convictions, les pensées et l'esprit grâce aux rétrospectives consacrées à son œuvre ? Son souvenir m'en est-il plus vivant, plus présent ? Je parle plus souvent en imagination avec mon père et ma mère qu'avec mes autres morts, en est-il ainsi parce qu'ils étaient mes parents ou parce que leur célébrité me les rend plus vivants ?

Mon père selon mon cousin Geppy.

174

Les films de papa ont sur moi un pouvoir curatif. Au début, juste après sa mort, je n'avais pas la force de les voir, c'était trop douloureux. Plus tard, j'ai recommencé à le faire, en compagnie de Renzo, durant les mois d'angoisse et les nuits sans sommeil où Lisa était dans le coma.

Lisa, une de mes meilleures amies, avait épousé Renzo, mon frère aîné. Ils avaient été percutés à toute allure par une voiture sur l'autoroute et tous deux avaient été très grièvement blessés. Renzo avait eu le fémur, des côtes, des vertèbres brisés et les poumons écrasés. Son cœur aussi avait été touché. Lisa, qui paraissait indemne, était en fait bien plus gravement atteinte. Ses centres nerveux étaient détruits et, peu à peu, tout son corps se mit à se recroqueviller en position fœtale. Nous craignions de la voir rester à tout jamais dans cet état végétatif, mais un destin bien plus atroce l'attendait. Lorsque Lisa sortit du coma, le diagnostic put être confirmé : *locked-in syndrom*. Cela signifie que l'esprit reçoit bien les signaux extérieurs, mais se trouve dans l'incapacité d'y répondre. L'esprit est comme une route à deux voies, dont l'une est réservée à la perception, l'autre à l'exécution des commandes. Chez Lisa, cette seconde voie était sectionnée, elle ne pouvait donc plus exercer aucune fonction volontaire. Elle ne pouvait ni parler, ni marcher, ni sourire, ni bouger. La fonction d'avaler continuait de s'exercer par réflexe, l'empêchant de s'étrangler avec sa salive, mais dès qu'il s'agissait d'ingérer des aliments ou de boire, elle cessait d'opérer, car cet acte-là requiert l'intervention de la volonté. Elle pouvait cligner d'un œil, le nerf optique qui achemine les commandes de l'œil étant situé dans un autre endroit du cerveau. Lisa pouvait donc répondre à nos questions en clignant de l'œil droit, le gauche avait perdu la vue dans l'accident. Elle clignait une fois pour signifier oui, deux fois pour signifier non, et son œil exprimait alors toute la vivacité et l'intelligence d'un esprit conscient. Il exprimait aussi tout son désespoir. Toute la force de ses sentiments était concentrée dans cet œil unique qui devint incroyablement expressif, véritable fenêtre sur son âme. Et celle-ci, emprisonnée dans son corps, semblait trop faible pour prendre son envol vers la destinée qui nous attend après la mort. Elle vécut cinq mois dans cet état abominable avant qu'il lui soit donné de mourir.

C'est durant cette période atroce que Renzo et moi avons recommencé à regarder les films de papa. C'était la seule chose que nous supportions de faire dès que nous nous éloignions du lit de Lisa. Cela nous donnait l'impression de nous retrouver avec lui, de sentir sa chaleur paternelle, sa joie de vivre, son espoir. Papa avait parlé de la guerre et de ses drames avec une telle compassion, une telle tendresse, une telle affection que c'était un peu comme s'il nous indiquait le moyen de survivre à notre propre tragédie. Par le truchement de ses films, il continuait d'exercer son rôle de père et de guide.

Papa tout entier pouvait être retrouvé dans son travail, alors que je n'ai pas découvert maman dans le sien. Dans ses rôles, je ne saisis que des fragments d'elle. Peut-être est-ce parce qu'un film est davantage l'œuvre de son auteur – le réalisateur – que de l'acteur, ou peut-être, tout simplement, parce que le travail de l'acteur consiste justement à être quelqu'un d'autre. En ce sens, je peux dire que maman y réussit parfaitement.

Je ne peux pas regarder ses derniers films. Elle y est telle que dans mon souvenir et son image, trop vivante à l'écran, me fait mal. En revanche, je peux voir les films qu'elle a tournés au tout début, en Suède ou à Hollywood, parce que je ne l'ai jamais connue si jeune. Je suis née après ces années de gloire. Le film que je revois le plus facilement est *Casablanca*, car le fait qu'il soit devenu un film culte le met à distance. Il a été si souvent projeté qu'il a perdu le pouvoir de me percer

Ma mère sculptée par ma fille.

le cœur. Je vais même jusqu'à prendre mon cappuccino du matin dans une tasse décorée d'une photo de *Casablanca*. Voir maman immortalisée sur des T-shirts, des cartes postales et de la vaisselle me donne l'impression de me moquer gentiment d'elle et je trouve que plaisanter entre nous au lever du lit est un bon moyen de commencer la journée.

La voix est la chose qui possède sur moi le plus de pouvoir. Une intonation familière peut me bouleverser et me faire soudain fondre en larmes. Un jour, je suis tombée sur papa dans un documentaire consacré à Anna Magnani. Sa vue m'a fait un choc, bien sûr, mais quand je l'ai entendu parler, j'ai cru m'évanouir. Sa voix m'a plongée dans une sorte de transe dont je ne pouvais plus émerger et il m'a fallu longtemps pour retrouver mes esprits. Je suis saisie d'une transe identique quand je vais visiter les archives de ma mère.

Avec mes frères et sœurs, nous avons décidé de regrouper tout ce que nous pourrions retrouver sur nos parents, lettres, scénarios, photos, articles, journaux intimes, costumes, etc., et d'en faire don aux archives de la Wesleyan University, dans le Connecticut, que dirige Jeanine Basinger. Maman étant le symbole même de l'ordre et de l'organisation, il y a bien plus de matériau sur elle que sur papa qui, lui, était tout le contraire. Au début, j'appelais Jeanine dès que je mettais la main sur une liste de courses chez l'épicier pour lui demander : « C'est de l'histoire, ou ça se jette ? » Elle répondait : « Il est trop tôt pour le savoir. Ma tâche d'archiviste est de conserver les choses suffisamment longtemps pour que l'histoire fasse le tri. Une liste de courses vieille d'un million d'années pourrait être passionnante. »

Ma famille se consacre à un autre projet plus grandiose, la conservation et la restauration des films de nos parents. Nous faisons le maximum, mais c'est une tâche de géant, tant sur le plan pratique que sur le plan financier et légal. On ne peut restaurer de films sans l'aide des grands studios d'Hollywood et des institutions gouvernementales.

En 1979, quand nous étions encore mariés, Martin Scorsese, qui est un grand érudit en matière de cinéma et passe ses journées à visionner des films, s'est aperçu que ces derniers étaient en train de se décolorer, que des copies vieilles d'à peine dix ans viraient au magenta. En faisant des recherches auprès de différentes archives, il a été l'un des premiers à établir que les pellicules vieillissaient différemment selon leur nature et, surtout, que toutes se détérioraient très vite. Dans les années cinquante et soixante, les films en couleurs étaient devenus accessibles et avaient détrôné ceux en noir et blanc. Or ils se révélaient bien moins stables. Cinquante pour cent des films de cette époque sont définitivement perdus. Quant aux copies sur support nitrate, comme on en a tiré des origines du cinéma jusqu'aux années quarante, elles présentent le défaut d'être hautement inflammables et doivent être transférées sur un autre support. Ce qui n'a pas été fait pour tous les films, loin de là. Ne bénéficiant pas du soutien financier des studios, les films indépendants sont les plus menacés. Produits par des compagnies à la vie souvent éphémère, lesquelles ne se préoccupent guère de garder trace de l'existence des copies et de leurs mouvements d'une salle de projection à l'autre, ils peuvent être oubliés sur une étagère de cinémathèque ou de laboratoire négligents. Quant à savoir qui en détient les droits, c'est la croix et la bannière pour obtenir ne fût-ce qu'une vague information. Or, il s'agit bien souvent des films les plus artistiques, des films d'avant-garde.

Mû par une force et une détermination de croisé parti libérer le tombeau du Christ, Martin a mis sur pied une vaste campagne en vue de faire prendre conscience à nos contemporains que l'un des arts les plus influents de notre siècle risquait de disparaître à jamais, si l'on ne s'attelait pas d'urgence au problème.

Comme ma mère se trompait, le soir où elle me dit sur la scène du Haymarket Theatre à Londres, tard dans la nuit, après la dernière représentation de *Waters of the Moon* de N.C. Hunter : « Et voilà ! Tous ces talents, ces décors, ces costumes, ces lumières ont à jamais disparu, et nous avec, les acteurs... Personne ne verra jamais plus rien de tout cela. C'est triste. Dieu soit loué, le cinéma reste, lui, et tout ce qui le compose pourra être apprécié dans les siècles à venir. »

Une fois, dans la vitrine du building IBM, sur Madison Avenue à New York, j'ai vu deux moines tibétains. Depuis des jours et des jours, ils travaillaient à un *mandala*, dessin de sable combinant toutes sortes de figures multicolores très complexes, dont chacune a une signification spirituelle bien précise. C'était tellement anachronique que je suis restée à les regarder, fascinée. Une fois leur œuvre achevée, ils la détruisirent d'un geste et s'en allèrent. Pour signifier la non-permanence des choses. Leur acte était censé symboliser la destruction finale de tout objet dans l'univers.

À la présentation de *Little Buddha* au festival de Berlin, j'étais assise à côté du réalisateur, Bernardo Bertolucci. À la fin de la séance, il se pencha vers moi et me dit : « C'est pour ça que j'ai des doutes sur la restauration des films, parce que tout est destiné à disparaître un jour. Peut-être serait-il plus sage de se résigner et de tirer du bouddhisme la leçon que rien ne dure ? »

En regardant ma mère ranger dans son cagibi à Londres tout ce qui, à sa mort, constituerait les archives Ingrid Bergman, je me rappelle lui avoir demandé pourquoi elle avait conservé toutes ces lettres, ces photos, ces journaux intimes. Elle n'avait plus longtemps à vivre et le savait. Comme dans la vie, sa réaction face à la mort était de tout laisser propre et en ordre. « J'ai toujours su que je serais célèbre », me répondit-elle. Je me souviens que son arrogance m'avait choquée et attristée et que, craignant de donner d'elle une image négative, j'ai toujours gardé cette anecdote pour moi. Avec le temps, et grâce aussi au processus de béatification du disparu qui se produit toujours chez les survivants, indépendamment des mérites réels du mort, j'ai commencé à m'interroger. Maman n'était pas orgueilleuse, et je le savais. J'avais dû mal la comprendre, j'aurais dû lui demander de répéter. Quelle idiote avais-je été de ne pas le faire ! Et pourquoi donc m'en étais-je abstenue, sachant qu'elle n'en avait plus pour longtemps, que je n'aurais plus la chance de lui poser de nouveau la question ?

J'ai confié mon regret à Jeanine Basinger, la conservatrice des archives de maman. « Vous l'avez bien comprise, m'a-t-elle répondu. Elle savait qu'elle serait célèbre, elle l'a écrit dans son journal à quatorze ans. »

Encore plus choquée, j'ai appelé Yasmine Ergas. De mes amies, c'est la plus intelligente, et c'est toujours ainsi que je la présente aux gens : « Ma brillante amie. » Je lui ai demandé : « Tu ne trouves pas ça phénoménal, que ma mère ait toujours su qu'elle serait célèbre ?

– Des tas de gens sont convaincus qu'ils le deviendront un jour, et ils emmagasinent des notes sur tout ce qu'ils font dans la vie. Sauf que, dans la majorité des cas, ils restent d'illustres anonymes. » Avec son bon sens, Yasmine a démoli d'un coup ma stupeur et ma conviction naissante d'avoir assisté à une nouvelle manifestation surnaturelle dans ma famille.

À l'instar de ma mère, la plupart des réalisateurs croient que leur œuvre durera. Mais combien de temps ? Pour toujours ou pour quelque temps ? Et ce « quelque temps », combien d'années couvre-t-il ? Deux, trois générations ?

Si Hollywood n'était pas en Californie mais au Tibet, la décoloration des films serait célébrée comme un enseignement spirituel. Je viens de Rome, la Ville éternelle, une ville remplie d'œuvres d'art, faites non de sable mais de marbre, destinées à défier le temps. J'ai été fidèle à ma culture, j'ai réuni et conservé les œuvres de mes parents. La voix imaginaire de Martin me conforte dans ma décision.

MARTIN : Tout finira un jour, d'accord, mais pourquoi maintenant ? J'aime voir le Colisée, Versailles, les Pyramides. Nous pouvons certainement faire en sorte que les films durent un peu plus longtemps pour les générations à venir. C'est en regardant les vieux maîtres que j'ai appris le cinéma. Les jeunes réalisateurs voudront faire la même chose. C'est à leur intention que nous devons préserver les films dans le meilleur état possible. Comment peut-on étudier le cinéma en visionnant des vidéos sur une petite télé, ou bien d'affreuses copies, comme celles qui circulent dans les universités ? Les étudiants en médecine n'étudient pas l'anatomie sur des cadavres en décomposition et ne dissèquent pas seulement des chiens et des cochons sous prétexte que leurs corps sont proches du corps humain. Nous devons préserver les films. Lesquels, je ne sais pas. Tous. Dis-toi qu'un film qui connaît le succès aujourd'hui peut être rejeté par l'Histoire. Et pense aussi à Van Gogh.

À leur sortie, les films de mon père n'ont pas eu de succès commercial, ils n'ont acquis de signification historique qu'avec le temps. *Rome, ville ouverte* et *Paisa* ne sont pas seulement des manifestes artistiques, mais des documents importants sur la Seconde Guerre mondiale. Le temps a rendu justice à mon père, il aurait apprécié.

MARTIN (suite) : Tout doit être protégé... contre le feu, l'inondation, la guerre, la colère, le découragement de l'auteur... Qui sait ce qui peut se produire. On perd bien plus qu'on ne sauve. Il faut tout sauver, pour qu'un petit peu subsiste.

1er novembre 1996 : Tattoo, le chaton que je viens de recueillir à la SPA, a chié sur la perruque que je portais dans *Blue Velvet*. Je la conservais depuis dix ans en souvenir du film, mais aussi pour la postérité, au cas où ça intéresserait quelqu'un. Aujourd'hui, j'ai dû la jeter et je râle. Comme toujours, Martin avait raison.

CRÉDITS PHOTOGRAPHIQUES

David Seymour/Magnum Photos, Inc. (pp. 14, 22, 24, 50, 56) ; Pierluigi Praturlon/Reporters Associati/Roma (pp. 19, 20) ; Oberto Gili (pp. 29, 30, 69, 95, 134) et, avec l'aimable autorisation de *HG*, © 1992 The Condé Nast Publications, Inc. (p. 33) ; Bruce White (pp. 31, 32, 36, 37, 63 [à droite], 66, 154, 174, 176, 177) ; collection particulière Fiorella Mariani (p. 35) ; Arthur Elgort avec l'aimable autorisation de Lancôme International (p. 42) ; Umberto Montiroli (p. 63 [à gauche]) ; AP/Wide World Photos (pp. 77, 86) ; la photo extraite de *Blue Velvet* (p. 78) est reproduite avec l'aimable autorisation de Alpha Library Company, © 1986 Alpha Library Company, tous droits réservés ; photo p. 80 : © 1990 PolyGram Filmproduktion GmbH, tous droits réservés, avec l'aimable autorisation de la Goldwyn Entertainment Company ; le tableau p. 80 est reproduit avec l'aimable autorisation de l'Instituto Nacional de Bellas Artes, tous droits réservés ; la photo p. 82 est extraite du livre d'Alexander Liberman *Marlene : an Intimate Photographic Memoir*, © Alexander Liberman ; Steven Meisel (pp. 83, 85, 89) et, avec l'aimable autorisation d'*Allure* (p. 87) ; Carone/Scoop pour *Paris-Match* (p. 84) ; Marcello Gepetti/Troupe News (p. 88) ; Richard Avedon pour *Vogue*, avec l'aimable autorisation de *Vogue* (p. 93) ; Sheila Metzner, photo publiée dans l'édition allemande de *Vogue*, février 1995 (p. 97) ; Paolo Roversi, photo publiée dans l'édition française de *Glamour*, mai 1992 (pp. 108, 109) ; Peter Lindbergh, avec l'aimable autorisation de Lancôme International (p. 111) ; Annie Leibovitz (p. 123), tous droits réservés ; *Isabella à Bellport*, Bruce Weber avec l'aimable autorisation de Lancôme International (p. 135) ; Eve Arnold/Magnum Photos, Inc. (p. 148).

NiL éditions
38, rue Croix-des-Petits-Champs
75001 Paris

Achever d'imprimer
par l'Imprimerie Moderne de l'Est
25110 Baume-les-Dames
Numéro d'édition : 99PE04
Numéro d'impression : 13035
Dépôt légal : Février 1999

ISBN : 2-84111-115-6
Imprimé en france